De roep van de luiaard

Van dezelfde auteur

Firmin

Wilt u op de hoogte worden gehouden van de romans en literaire thrillers van uitgeverij Signatuur? Meldt u zich dan aan voor de literaire nieuwsbrief via onze website www.uitgeverijsignatuur.nl.

Sam Savage

De roep van de luiaard

Vertaald door Dirk-Jan Arensman

SIGNATUUR

2010

© 2009 Sam Savage
First published by Coffee House Press, Minneapolis, Minnesota
Oorspronkelijke titel: The Cry of the Sloth. The Mostly Tragic Story of
Andrew Whittaker being his Collected, Final, and Absolutely
Complete Writings
Vertaald uit het Engels door Dirk-Jan Arensman
© 2010 uitgeverij Signatuur, Utrecht en Dirk-Jan Arensman
Alle rechten voorbehouden.

Omslagontwerp: Wil Immink Design
Illustratie omslag: Fernando Krahn
Foto auteur: Nancy Marshall
Typografie: Pre Press Media Groep, Zeist
Druk- en bindwerk: Koninklijke Wöhrmann, Zutphen

ISBN 978 90 5672 371 2
NUR 302

Dit boek is gedrukt op papier dat het keurmerk van de Forest Stewardship Council (FSC) mag dragen. Bij dit papier is het zeker dat de productie niet tot bosvernietiging heeft geleid. Een flink deel van de grondstof is afkomstig uit bossen en plantages die worden beheerd volgens de regels van FSC. Van het andere deel van de grondstof is vastgesteld dat hiervoor geen houtkap in de laatste resten waardevol bos heeft plaatsgevonden. Daarom mag dit papier het FSC Mixed Sources label dragen. Voor dit boek is het FSC-gecertificeerde Munkenprint gebruikt. Dit papier is 100% chloor- en zwavelvrij gebleekt en wordt geleverd door Arctic Paper Munkedals AB, Zweden.

Wat ons overkomt, overkomt ofwel iedereen ofwel alleen ons.
In het eerste geval is dat banaal, in het tweede onbegrijpelijk.

Fernando Pessoa

Juli

Beste meneer Fontini,

Voor de goede orde: de stukadoor heeft zijn factuur ingediend voor het vervangen van het plafond in de keuken. Het ging, zoals u zich ongetwijfeld bewust bent, om een tamelijk groot stuk plafond. Meer plafond zelfs dan veel mensen ongelukkig genoeg in hun woonkamer hebben. Voorts is dit de tweede keer, wat het cumulatief moeilijker voor mij maakt om de betaallast op me te nemen. Ik ben geen onuitputtelijke bron van geldelijke middelen – dat zouden veel mensen kunnen bevestigen. Om kort te gaan: ik kan uit eigen zak niet meer dan driehonderd dollar overmaken aan de herstelmensen. Bijgesloten vindt u een kopie van de factuur ter inzage. Gelieve het bedrag bij uw volgende huurtermijn over te maken.

Hoogachtend,
Andrew Whittaker
The Whittaker Company

ſ

Beste Jolie,

Dit is een bescheidener cheque dan je gewend bent, en daar is niets aan te doen. Wat er ook in de echtscheidingspapieren wordt bepaald, je weet net zo goed als ik dat de onroerende goederen geen 'inkomen-genererende bezittingen' zijn. Zelfs ten tijde van je vertrek was ten minste de helft ervan een bodemloze put of erger, en inmiddels zijn de hypothecaire lasten erop zo hoog, en zijn ze zo vervallen, dat ze nauwelijks mijn eigen kleine vlotje drijvende kunnen houden, terwijl het heen en weer wordt geslingerd op een zee van stront, hoe mager en alleen beladen met het hoogstnoodzakelijke het ook is. (Ik bedoel dat het vlot mager is; de zee van stront is, uiteraard, grenzeloos.) Met 'vervallen' bedoel ik dat ze uit elkaar vallen. Mevrouw Crumb probeerde vorige week haar slaapkamerraam open te doen, en dat tuimelde zo de straat op. Ze zal genoegen moeten nemen met een vel afdekplastic, en ondertussen heb ik twintig piek van haar huur af moeten trekken. Elke maand staan er nieuwe appartementen leeg, wat een onstelpbare aderlating betekent. Twee van de appartementen aan Airport Drive zijn ondanks al mijn inspanningen nog steeds niet verhuurd, hoewel ik voortdurend advertenties laat plaatsen. Het is buiten zesendertig graden, maar ik durf de airconditioning niet aan te zetten. Het geld dat ik je nu stuur, heb ik overgeheveld van – 'onttrokken aan' is geloof ik de juridische term – het potje voor Reparaties en Onderhoud. Je weet heel goed dat daar nu op beknibbelen de toekomstige inkomsten alleen maar zal doen afnemen. Ik stel voor dat je daarover nadenkt. Als Todd Fender me belt, hang ik op.

Ze hebben de grote iep aan de overkant omgezaagd. Het was de laatste iep in de straat. Toen de zagers waren vertrokken, ben ik ernaartoe gelopen, op de brede, witte stronk gaan staan en heb ik, in de zon en hitte en zonder genadige schaduw, naar ons huis gestaard. Het trof me hoe oninteressant het eruitziet.

Het lijkt inmiddels algemeen bekend. Mensen vragen me niet meer naar jou of hoe het nou gaat. In plaats daarvan krijg ik blikken van stilzwijgend medeleven, waar ik me in wentel. En als ik over straat loop, zwaai ik met mijn armen op een manier die ik monter vind – dat doe ik om ze te verwarren en verbijsteren. Vroeger had ik een wandelstok met een ivoren knop bij me gedragen en hadden mensen die me zagen gezegd: 'Daar gaat dat literaire heerschap.' Maar nu zeggen ze … Tja, wat zeggen ze eigenlijk?

Met warme groet,
Andy

❡

GROOT EN KNUS! Aan 1730 Airport Drive. Duplex-apparte-
menten. Beide app. 2 bdkamrs 1 bad. Apparatuur. Nieuw
schilderwerk en tapijt. Ruim ouder gebw met vele verbeteringen. Bovenste eenheid heeft uitzicht op kleine vijver. Centraal
gelegen, luttele minuten van busverbinding. $125 + gas, water
en licht.

❡

Beste Marcus,

Ik tel het na op mijn vingers. Is het echt al elf jaar geleden? We
hadden beloofd dat we contact zouden houden, en toch … Ik
neem aan dat je zelfs daar 'in het oosten' zo nu en dan weleens
iets opvangt over onze bezigheden hier in Rapid Falls. Ik had
op mijn beurt alleen de zondagsbijlage van onze plaatselijke
Current maar nodig om op de hoogte te blijven van jouw carrière. (Ik grinnik hardop terwijl ik dit schrijf, want ik herinner
me dat wij, stelletje rouwdouwers dat we waren, 'carrière' ooit
een vies woord vonden; het is een grinnik met een vleugje
melancholie.) Ze hebben ooit een foto van je gepubliceerd
waarop je op je motor zat. Wat een fraaie machine; ik heb nog
nooit zoveel chroom gezien. Ik heb destijds overwogen de foto
naar je door te sturen, maar de gedachte dat je waarschijnlijk
een knipseldienst hebt, weerhield me daarvan. Telkens als ik
je naam in druk zie, beste Marcus, of een 'jubelende recensie'
zie van weer een volgende roman, ervaar ik een hevig, warm
genot bij het zien slagen van een oude vriend; een genot dat,
ik geef het toe, ook een kleine mate van persoonlijke voldoening bevat. En waarom zou dat niet zo zijn? Ik was tenslotte
degene die onze kleine bent geleid heeft in de richting van de
experimenten die jij en anderen, onder wie sluwe Willy, zo
hebben geperfectioneerd. Ik zie mezelf als de vonk die de
vuurzee heeft doen ontbranden. Het is jammer dat het idee

11

van personages uit films een-op-een opnemen in een roman zo gecorrumpeerd is geraakt doordat mensen met minder talent dan jij het in de praktijk zijn gaan brengen. Behoort die arme Willy ook tot die categorie? Ik vrees het voor hem.

Maar wacht. Ik schrijf je niet om oude werkkoeien uit de sloot te halen, noch om (als ik het zo mag zeggen) oude roddels te loeien. Het punt is dat ik een vriend in nood heb. Geen vriend van vlees en bloed, hoewel ik die noodgedwongen ook heb. Ik doel op *Soap: een journaal der kunsten*, het kleine literaire tijdschrift waar ik oprichter en redacteur van ben, met z'n jaarlijkse supplementen *Soap Express* en *Het Beste uit Soap*. Ik stel me voor dat je onze naam hebt horen vallen in de alternatievere pers, hoewel je je misschien niet bewust was van mijn betrokkenheid (ik zet mijn naam niet in chocoladeletters op het omslag), en misschien heb je zelfs gezien dat we een paar jaar geleden genoemd werden in *American Aspects*, in een recensie van Troy Sokals *Maanlicht en maandonker*, waarin er een – positieve – vergelijking werd getrokken tussen de 'neomodernistische schibboletten' van *Soap* en de 'duistere passies' van Sokals 'smerigheid-en-mest-beweging'. Uiteraard sloegen ze in bijna alle opzichten de plank mis: er bestaat geen rivaliteit tussen *Soap* en Sokal, en S&M is alleen in Sokals verbeelding een 'beweging'. Ik heb je wel een paar vroege nummers van het tijdschrift gestuurd, maar daar reageerde je niet op. Misschien heb je ze nooit ontvangen.

Sta me toe een paar van onze 'eersten' uit de doeken te doen. We waren de eersten die Sarah Burketts aangrijpende reisverhaal *De wc's van Annapurna* publiceerden en tevens fragmenten uit Rolf Keppels zenroman *Kogellagers*. Die werden later allebei heruitgegeven door grote uitgeverijen in New York, met alle lovende kritieken van dien. Je kent de titels vast, zelfs als je de boeken niet hebt gelezen. (Tot mijn spijt moet ik zeggen dat een lezer de microscopische lettertjes van de copyrightpagina zou moeten bestuderen om kennis te nemen van onze rol in het überhaupt voor het voetlicht brengen van deze auteurs, die in feite allebei provinciale minkukels zijn met de manieren die daarbij horen.) Miriam Wildercamps spiegelpoëzie verscheen regelmatig op onze pagina's toen niemand er nog aan wilde. Onze nieuwste ontdekking is Dahlberg Stint, van wie ik verwacht dat hij binnenkort van kust tot kust voor opschudding zal zorgen. Dit alles naast mijn eigen verhalen, recensies en enkele korte gedichten. Ik heb de afgelopen, ja-wel, zeven jaar bijna in mijn eentje de redactie over het tijdschrift gevoerd. In die tijd heb ik me hevig verzet tegen een verlammende zelfgenoegzaamheid en er met Poundiaanse razernij naar gestreefd een minimaal kwaliteitsniveau in stand te houden. Ik kan met trots zeggen dat we er bij tijd en wijle in zijn geslaagd op een positieve manier voor opschudding te zorgen.

Maar uiteraard kan een onderneming als *Soap* niet overleven op louter abonnees. Ik moet talloze uren ontstelen aan mijn eigen schrijverij om met de hoed in de hand openbare en private beurzen en subsidies na te jagen. Het was nooit genoeg, en we hebben alleen kunnen overleven dankzij giften uit mijn eigen, persoonlijke middelen. Jolie en ik hebben zelfs regelmatig koekjes verkocht in de universiteitskantine, en dat werkte een tijdje uitstekend, maar sindsdien ben ik haar assistentie kwijtgeraakt – niet alleen haar bakvaardigheden maar ook haar type- en boekhoudkundige werkzaamheden. Ze is twee jaar geleden naar New York, naar Brooklyn, verhuisd om theaterwetenschappen te gaan studeren, hoewel ze voordien nooit enige interesse in het theater had getoond. Ondertussen zijn de verhoudingen met de lokale 'kunsttypes' ernstig bekoeld, deels wellicht omdat ik Jolies sprankelende persoonlijkheid niet meer heb om het contact met de buitenwacht waar te nemen. Ik heb, vrees ik, inderdaad de neiging te zeggen wat ik denk. Maar volgens mij is de wortel van het probleem dat die mensen zich langzaamaan zijn gaan realiseren dat ik niet zal toestaan dat *Soap* een stortplaats wordt voor hun middelmatige voortbrengsels. Het is nu al zover dat *The Art News* zich gerechtigd voelt het tijdschrift stelselmatig te bespotten in hun 'Maandoverzicht', door het 'Soup' en 'Sap' te noemen, naast andere imbeciele varianten, zoals 'Pus' en 'Glop'. Alleen daaruit wordt al duidelijk waarmee we hier te stellen hebben. Ik benijd je soms behoorlijk, daar in New York.

Door de huidige staat van de economie – en het schijnbare onvermogen van die Nixon-types om er iets aan te doen – is mijn persoonlijke inkomen geslonken, verschrompeld zelfs, terwijl de kosten zijn aangezwollen. Tenzij ik drastische stappen neem, zal *Soap* definitief derailleren. En wat extra koekjes verkopen zal niet genoeg zijn. Wat me, beste Marcus, brengt op het doel van deze al-te-voortratelende brief. Ik heb iets groots in gedachten voor komend voorjaar. De plannen zijn nog vaag, maar ik zie een soort symposium annex retraite annex workshop annex schrijverskolonie voor me, ergens in april, zodra de eerste narcissen verschijnen. Het idee is om de talentvolste mensen uit de regio samen te brengen met een betalend publiek voor een weekend vol workshops en lezingen. Zoals je weet zijn de mensen die dergelijke dingen bijwonen meestal niet bijster goed op de hoogte van wie wie is in de literaire wereld (de meesten hebben waarschijnlijk zelfs nog nooit gehoord van Chester Sill of Mitsy Collingwood, die allebei hebben toegezegd aanwezig te zullen zijn), dus het zou een enorm zetje in de rug zijn om er ten minste een 'nationale bekendheid' bij te hebben. En ik moet zeggen dat je dat na de ophef rondom *Het geheime leven van echo's* absoluut bent! Dus mijn vraag is: wil je komen? Ik hoop dat je me, naast een klinkend 'Ja', alle suggesties wilt sturen die je misschien hebt voor het programma. Er is nog niets in steen gehouwen.

Je ouwe maatje,
Andrew Whittaker

PS: Tot mijn spijt zal noch het tijdschrift noch ik je kunnen betalen voor je tijd of je zelfs maar je reiskosten kunnen vergoeden. Dat vind ik vervelend. Je zult echter wel een ruim onderkomen vinden in mijn huis, alsmede, nadat de menigte is gedecimeerd, goed gezelschap voor nachtelijke gesprekken. Ik weet zeker dat het je niet af zal schrikken als ik schrijf dat ik ernaar uitkijk 'een stevig robbertje te discussiëren' over een deel van je recente werk.

¶

Walgelijk, walgelijk. Leugenachtig, pluimstrijkerig, stompzinnig. Wat een kruiperige zinnen. Hoe kan ik zo weerzinwekkend zijn? Wat ik nodig heb is een deur waar ik doorheen kan lopen, om een tijdje de wereld te ontvluchten. Als kind verstopte ik me graag in de grote kast in de slaapkamer van mijn ouders, opgekruld in het donker, omringd door de geur van mottenballen en met de bulten van mama's schoenen onder me.

¶

Beste mevrouw Brud,

Al zeven maanden heb ik geen huur van u ontvangen. Ik heb u tot twee keer toe beleefde herinneringen gestuurd. Daarin werd niet uitgevaren, noch maakten ze gewag van contractbreuk of schetsten ze akelige vergezichten als juridische stappen of smadelijke ontruiming. In het licht daarvan zult u zich mijn verbazing voor kunnen stellen toen ik vanochtend uw antwoord opende, en daarin geen cheque of girale overschrijving aantrof. Wat er in plaats daarvan naar de grond dwarrelde was een verbijsterende brief. Mevrouw, sta me toe u de omstandigheden in herinnering te roepen waaronder ons eerste gesprek plaatsvond, toen u vijf maanden geleden naar mijn huis kwam en destijds een huurachterstand van twee maanden had. U was overstuur, wanhopig zelfs, en aangezien ik geen Scrooge of harteloze huisjesmelker ben, liet ik u niet in de regen op de stoep staan; ik vroeg u binnen, bood u aan te gaan zitten. Omdat alle stoelen bezet waren door mijn boeken en papieren, waren we gedwongen het kleine deel van de bank te delen dat nog vrij was. U was nat en rilde van de kou; ik haalde een martini en wat pinda's voor u. Ik luisterde geduldig naar het verhaal van het ongeluk van uw man met de elektrische blender en de medische onkosten die dat met zich meebracht. En over de onterechte arrestatie van uw zoon en de juridische onkosten die daaruit voortvloeiden. Ik nam mijn toevlucht tot het uiten van de platitudes van medeleven die in dergelijke gevallen gebruikelijk zijn. Maar toen ik tegen u zei dat u zich geen zorgen hoefde te maken, kwam het nog niet in de aangrenzende gebieden van mijn hoofd op dat u dat op zou vatten als carte blanche om tot in de eeuwigheid geen huur te betalen. Wat uw huidige brief betreft: ik begrijp niet wat u ermee wilt bereiken als u stelt dat u, als ik erop sta de achterstallige huur te ontvangen, 'gedwongen zal zijn dat aan mijn man te vertellen'. Wat wilt u hem dan vertellen? Dat de wettelijke eigenaar van het huis waarin u woont graag een schamele vergoeding zou ontvangen? En wat bedoelt u met de zinsnede 'als u me ooit nog wilt zien'? Wat suggereert u in vredesnaam? U weende. U zat op míjn bankstel. Het was volstrekt normaal dat ik dat uitermate verontrustend vond. Ik hield u in mijn armen zoals je dat met een huilend kind zou doen. Ik mompelde 'kom, kom'. Als ik mezelf heb toegestaan u over het hoofd te strelen en met een inktbevlekte vinger een doorweekte streng grijzend haar van uw lippen te strijken – nadat u als het ware over me heen was gevallen –, dan deed ik dat zonder enige (durf ik het te zeggen?) seksuele interesse. Ik hoopte enkel dat die gebaren mijn medelevende woorden kracht zouden bijzetten. Mocht een dergelijke gebeurtenis zich in de toekomst nogmaals voordoen, dan kan ik u verzekeren dat die volkomen pro forma zullen zijn. Gelieve 7 x 130 = $910 over te maken.

Hoogachtend,
Andrew Whittaker
The Whittaker Company

¶

Beste inzender,

Dank u dat u ons de gelegenheid gaf uw werk te lezen. Na ampele overweging zijn we, tot onze spijt, tot de conclusie gekomen dat het op dit moment niet beantwoordt aan onze behoeften.

De redactie van *Soap*

¶

Beste Jolie,

Waarom heb ik me nooit afgevraagd wat er met papa gebeurde? Zijn bloeddruk was zo hoog dat ie er puilogen van kreeg, hij had een huidaandoening op zijn rug en billen die zo jeukte dat hij er in de keuken met een metalen spatel als een bezetene aan stond te krabben tot er strepen bloed op zijn overhemd zaten en hij had de neiging zich bij het avondeten laveloos te drinken. Mama probeerde het bord weg te grissen zodra ze hem zag knikkebollen, maar soms dook hij zo met zijn gezicht in de gehakt met aardappelen of wat ze die avond ook maar had klaargemaakt, appelmoes en karbonaadjes, voor ze erbij kon, hoewel hij vaker zijwaarts van zijn stoel zakte. Het kwam niet eens in me op dat die treurige komedie iets te maken had met wat hij de hele dag deed, wat hij gedwóngen was de hele dag te doen. Ik zag het gewoon als de natuurlijke loop van 's mans leven. En nu overkomt het mij. Ik bedoel dat *dat leven* mij overkomt. Op een dag ga ik huurders af om achterstallige betalingen te innen, hoor ik hun jankverhalen aan, luister met glazige ogen naar het geruis van klachten over verstopte afvoeren, niet-dood-te-krijgen muizen, fornuizen die niet warm willen worden en plafonds die naar beneden zijn gekomen. Ik zal die mensen nooit begrijpen. Komen ze expres in hun ondergoed de deur opendoen? Of doen ze het zodat ze zich dan nog demonstratiever kunnen staan krabben als ik tegen ze praat? De volgende dag hang ik aan de telefoon en probeer een of andere klusjesman zover te krijgen dat ie op de pof werkt. En als ik dan iemand vind, verkloot hij het werk zo erg dat ik het zelf over moet doen, hoewel ik geen flauw idee heb hoe, maar ik doe het in elk geval voor weinig geld. Wat dacht je van dit grafschrift: HIJ WERKTE VOOR WEINIG GELD. En als dat verdomde ding dan weer kapotgaat, bellen ze me op en bedréigen ze me. Als ik niet uitkijk, loop ik straks met een pistool rond, net als papa. En dan heb je nog de grote jongens – de banken, het waterleidingbedrijf, de energiemaatschappij, de telefoonmaatschappij, vooral de telefoonmaatschappij. Ik droom weleens dat ik word achtervolgd door mannen in harnas. Soms maak ik mezelf bang met de gedachte dat ik elk moment krijsend de straat op kan lopen. Of dat ik papa's pistool zal pakken, rustig door de glazen deur van een of ander kantoor in de stad zal lopen en *Pang! Pangerdy pang pang!* Dat gaat zo weken achter elkaar, tot ik volkomen uitgeput ben. Ik heb nog geen psoriasis en mijn hoofd zweeft nog dapper boven mijn bord gebakken ham uit blik, maar ik ben leeg, afgepeigerd, kapot. Als ik eindelijk thuiskom, moet ik op de bank gaan liggen, terwijl mijn borst op en neer gaat alsof ik een enorme fysieke inspanning achter de rug heb. Misschien dat je me eens kunt bellen.

Andy

§

GENIET VAN HET GEZINSLEVEN! 73 Charles Court. Unieke eengezinsbungalow in een gewilde buurt. 2 bdkmrs 1 bad. Grote kasten. Hek ter beveiliging. Betegelde tuin. Verlichte parkeerplaats. 10 min. lopen naar winkels en tankstation. $155 + gas, water en licht.

¶

Lieve mama,

Ik hoop dat je, als je deze brief ontvangt, hersteld bent. Het is waar, verkoudheden kunnen erg onaangenaam zijn, en het was niet aardig van Elaine dat ze je belachelijk maakte en je Kleenex afpakte, als dat echt gebeurd is. En ondanks wat je suggereert, weet ik best dat heggen saai kunnen zijn als dat het enige is waar je naar kunt kijken. Maar ik ben ervan overtuigd dat als je er heel goed naar kijkt en probeert elk blad afzonderlijk te zien en niet als een van de vele, je zult ontdekken dat ze gevarieerder zijn dan je dacht en interessant genoeg om je middagen prettig mee door te komen. Ik heb altijd geloofd dat mensen verveeld zijn omdat ze niet op details letten. Ik had gehoopt deze maand langs te komen racen, maar ik ben bang dat de Chevy weer eens panne heeft. Er schijnt iets mis te zijn met de radiator, of de transmissie, en met het vreselijk hete weer dat we nu hebben, heeft ie zelfs bij korte ritjes naar de Safeway al de neiging 'over te koken'. Ik heb Clara gevraagd naar je föhn; ze zegt dat ze het zich niet kan herinneren. Wanneer het me lukt langs te komen, zal ik een eindje met je gaan rijden. Dan kunnen we naar Woodhaven karren en Winstons graf bezoeken; ik weet dat je dat fijn vindt, en ik natuurlijk ook. En, trouwens, ik vond het niet eerlijk van je dat je zei dat ik 'nooit een donderklap' om Winston heb gegeven. Ik heb vorige week nog met dominee Studfish gesproken. Hij beloofde dat hij zich over de kwestie zou buigen, hoewel hij me wel meteen waarschuwde dat de kerkelijke wetten op dat punt betrekkelijk onbuigzaam lijken. Maar ik vind niet dat je je daardoor moet laten ontmoedigen, aangezien hij nooit veel op heeft gehad met Winston na wat hij bij Pegs trouwerij deed, wat hij, Winston, deed. Als het een troost voor je is: ik denk persoonlijk dat Winston gelukkig is waar hij nu is, waar dat ook moge zijn.

Veel liefs,
Andy

Mijn allervroegste herinnering aan mama is dat ze haar haar borstelde. Het was een heel droge avond en in de schrale schemering zag ik kleine vonkjes als vlooien tussen borstel en haar springen. Felle vlooien. Het was de eerste keer dat ik een vaag vermoeden kreeg van de rol die elektriciteit in ons leven speelt. Mijn vroegste herinnering is van mijn moeders hand. Die was zo wit als albast. Bleek en blauw geaderd. Een bleke, blauwgeaderde hand die adeldom verried. Ik lag in mijn met kant omzoomde mandenwiegje op de veranda. Zij zat aan de telefoon – met wie? vraag ik me af – en ze zei (ik kan me de woorden nog levendig herinneren, hoewel het uiteraard nog vele maanden duurde voor ik een vocabulaire ontwikkelde dat groot genoeg was om de betekenis ervan te begrijpen, tot die tijd kon ik ze alleen maar zwijgend in mezelf opzeggen, als een betekenisloze bezwering): 'Laat maar een schouderkarbonade, wat aardappelen, twee pond asperges, een kwartliter melk en een pak wasmiddel brengen.' Ik denk vaak aan die herinnering, en dan sta ik er versteld van dat mensen ooit per telefoon boodschappen bestelden. Shit, shit, shit.

❡

Beste meneer Poltavski,

In antwoord op uw verzoek om richtlijnen voor inzendingen sluit ik onze huisregels bij. Ik wou dat meer mensen om onze richtlijnen vroegen voor ze ongeschikt materiaal instuurden waarmee ze zowel mijn als hun eigen tijd verspillen. En hartelijk dank dat u een gefrankeerde envelop bijsloot, wat ook te weinigen van jullie doen.

A. Whittaker, Redacteur

❡

Soap is een landelijk tijdschrift gewijd aan alle vormen van literaire kunst, inclusief korte verhalen, poëzie, essays en kritieken. We publiceren zes regelmatig verschijnende nummers per jaar, plus twee jaarlijkse bloemlezingen. Tot onze medewerkers behoren gevestigde schrijvers met een internationale reputatie naast getalenteerde nieuwkomers. Hoewel we kunstenaars altijd graag nieuwe gebieden zien verkennen, zowel inhoudelijk als vormtechnisch, hebben we geen andere criteria voor publicatie dan literaire uitmuntendheid. In het huidige verzuurde klimaat van de Amerikaanse letteren, met onbeheerste woede-uitbarstingen aan de ene kant (de overblijfselen van de zogenaamde Beat-beweging) en amorfe bergen pseudomodernistische wartaal aan de andere kant, vaart *Soap* een koers tussen die twee uitersten. We publiceren geen stichtelijk materiaal, wenskaartgedichten of enig werk dat geborduurd is op stof. Hoewel satire welkom is, is de regel voor persoonlijke scheldkanonnades: HOU HET NETJES. Obsceniteiten worden getolereerd, maar mogen niet naar het hoofd worden geslingerd van mensen die nog in leven zijn. Originaliteit is een vereiste. Personages mogen geen K. of X. worden genoemd. Manifesten moeten standpunten bepleiten waarvan niemand ooit heeft gehoord. We publiceren geen werk in enige andere taal dan het Engels. Hoewel er her en der met anderstalige zinnen mag worden gestrooid, zal dat er, als het veelvuldig gebeurt, toe leiden dat uw werk wordt afgewezen als pretentieuze rotzooi. Alle inzendingen dienen getypt te zijn met dubbele regelafstand. Pagina's van bijdragen die uit meerdere pagina's bestaan, dienen te worden genummerd. Gepubliceerde schrijvers worden beloond met twee gratis exemplaren en twintig procent korting op additionele exemplaren. Inzenders dienen zich te houden aan de twee kardinale regels die een zorgeloze publicatie mogelijk maken. Kardinale regel # 1: STUUR NIET JE ENIGE EXEMPLAAR. Kardinale regel # 2: SLUIT EEN GEFRANKEERDE AAN UZELF GEADRES-

SEERDE RETOURENVELOP BIJ. Een gelijktijdige schending van beide regels wordt gestraft met de totale vernietiging van uw werk.

❡

Beste mevrouw Lessep,

Hartelijk dank dat u ons, nogmaals, 'De kleine schoentjes van de mistletoe' hebt laten lezen. Na ampele overweging zijn we tot de conclusie gekomen dat dit werk nog steeds niet aan onze behoeften beantwoordt. Het spijt me dat u, door de zinsnede 'dat het op dit moment niet beantwoordt aan onze behoeften', de onterechte indruk kreeg dat u het nogmaals moest insturen. In de uitgeefwereld betekent 'op dit moment' in feite 'voor altijd'.

A. Whittaker
Redacteur van *Soap*

❡

Beste meneer Carmichael,

Oude mensen kunnen, zoals u moet weten, lastig zijn. En toch moeten ze vriendelijk worden behandeld, want het zijn ook mensen. Uiteraard zouden u en ik ook graag vriendelijk behandeld worden als wij oud worden, wat onherroepelijk zal gebeuren, zelfs al gaan we uiteindelijk behoren tot dat type onaangename bejaarden dat voortdurend klaagt. We worden geleid door de natuurlijke menselijke neiging om de klagers altijd de schuld te geven, gewoon omdat ze zo irritant zijn, zonder de zaak nauwkeuriger in ogenschouw te nemen. Ik schrijf dat om voor mezelf te verklaren waarom er, sinds mijn moeder u schijnbaar meerdere keren heeft aangesproken over haar problemen met haar verzorgster Elaine Robinson, nog geen oplossing is gevonden. Dat deugt niet. Maar liever dan mezelf te scharen onder de drommen irritante klagers, dacht ik dat ik de feiten maar eens op een rij moest zetten. Daaruit kunt u dan zelf uw conclusies trekken.

Elaine kwam vorig jaar kort na kerst in Old Ivy Glen werken, als vervangster van Dotty. Mijn moeder was aanvankelijk blij met die verandering, aangezien Dotty de meeste van haar diensten verdeed met doorzagen over dingen die zelfs een bedlegerige oude vrouw onmogelijk interessant kon vinden. Als gevolg daarvan deed mijn moeder het grootste deel van haar eerste jaar in Old Ivy Glen alsof ze sliep. En toen kwam Elaine Robinson: rondborstig en opgewekt, met die vrolijke blik op het leven die we allemaal zo verfrissend vinden aan haar ras. Mijn moeder stamt uit een prominente, oude zuidelijke familie, ze heeft zich altijd sterk verbonden gevoeld met negers van allerlei pluimage, en aanvankelijk leken zij en Elaine het 'te kunnen vinden'. Ik herinner me nog levendig dat ik tijdens een van mijn maandelijkse bezoeken door de gangen naar mijn moeders kamer liep en hoorde dat ze samen in een genoeglijk gesprek verwikkeld waren. Elaines aardse lach die galmde onder de kwinkelerende klanken van mama's gegiechel, een langzame rivier die, als het ware, bubbelde onder een bergbeekje. Mijn hart maakte een sprongetje, en ik stootte een geluidloos 'dankjewel' aan Old Ivy Glen uit.

Helaas was die vreugde, zoals zoveel mooie dingen, prematuur. Die vroege spruiten van vriendschap, als dat is wat het waren, waren voorbestemd om te verdorren in april, toen mama's geest begon af te dwalen. Ze migreerde, figuurlijk gesproken, naar het opgeslagen verleden, en stelde zich voor dat ze een kind was in Georgia ten tijde van de slavernij; dat Old Ivy Glen haar oude, vertrouwde Oakwood was, in oude glorie hersteld; dat Winston, haar oude labrador, weer een puppy was en dat Elaine haar geliefde Feena was, de toegewijde vrouwelijke bediende die haar in later, droeviger tijden mede had grootgebracht, toen de familie nauwelijks nog de elektriciteitsrekening kon betalen, laat staan Feena, die zich tevredenstelde met een klein kamertje en maïsbrood.

Je zou verwachten dat een professionele verzorgende als Elaine op dergelijke momenten haar medeleven zou verdubbelen. Dat ze er misschien zelfs van zou genieten een oude vrouw te vergezellen op haar onschuldige tijdreizen, er plezier in zou scheppen een rol te spelen in die in wezen tamelijk charmante fantasietjes over 'lang vervlogen dagen'. Maar nee! Ik herinner me nog levendig het moment waarop ik me realiseerde dat het tij van vriendschap waar ik eerder zo verheugd over was geweest, was gezonken tot een gevaarlijk lage eb. Ik zat met mama in haar kamer. We spraken niet, maar deelden een paar minuten van stilzwijgend samenzijn, toen Elaine en een ander donker meisje binnen kwamen stormen om het beddengoed te verschonen, lachend en luidruchtig kletsend over god weet wat. Die plotselinge verstoring van ons samenzijn bracht mama ertoe haar ogen wijd open te sperren en, toen ze zag dat die twee vrouwen aan het voeteneind van haar bed stonden – vaag ongetwijfeld, aangezien ze haar bril niet ophad – op te merken: 'Er zijn hier wel een hoop Feena's.' Ik vond dat erg grappig. Maar ik zag meteen dat mevrouw Robinsons overgevoeligheid ervoor zorgde dat ze de grap niet zou kunnen waarderen. Ik vrees dat ik de zaak er onbedoeld nog slechter op heb gemaakt door, ondanks haar boze blik, te blijven lachen.

Vanaf die dag hoor ik regelmatig dat Elaine bezig is mama 'terug te pakken', en dat ze haar op talloze vervelende manieren kwelt. Ik erken wel dat sommige van mama's klachten overduidelijk overdreven zijn. We denken geen van allen dat Elaine echt honderden ratten heeft losgelaten in mama's kamer. En zelfs als ze dat wel had gedaan, hoe zou ze dan voor elkaar hebben gekregen dat die 's morgens allemaal verdwenen waren? Maar toch, volgens mij kunnen we niet voorzichtig genoeg zijn als het om kwetsbare oude mensen gaat. Ik eis voorlopig nog niet het ontslag van mevrouw Robinson. Ik vraag alleen maar dat u uw ogen openhoudt en van qui-vive uw motto maakt.

Met kinderlijke zorg,
A. Whittaker

¶

Beste Vikki,

Ik heb je laatste gedichten gelezen, en ik wilde dat ik ze alle acht op kon nemen. Aangezien dat niet kan, wil ik graag 'Sally en de pomp', 'Calypso' en 'Naalden en spelden' gebruiken. Er is de laatste tijd een hoop geweldig materiaal door de brievenbus gekomen, materiaal dat ik gewoon niet kon laten lopen. Het gevolg is dat het tijdschrift overvol is en ik jouw werk pas in het volgende nummer kwijt kan, op z'n vroegst. Excuses daarvoor, en ik beloof plechtig dat ik het je niet kwalijk zal nemen mocht je het elders willen proberen. Overvol en onderbetaald – daar komt het in een notendop op neer. Het resultaat van de laatste smeekbede-per-post was eerlijk gezegd extreem teleurstellend. Ik weet best dat iedereen mijn gesmeek om aalmoezen inmiddels grondig zat is, dus ik ben het handjevol loyale figuren zoals jij en Chumley en een paar anderen die door de jaren heen achter me zijn blijven staan des te dankbaarder. Ik heb zoveel geld en energie in het tijdschrift gestoken, dat ik volkomen in paniek raak als het 't even moeilijk heeft. Nu jullie tweeën weg zijn, en Jolie er niet meer is, ben ik hier geïsoleerder dan ooit. Eigenlijk ben ik soms onuitsprekelijk eenzaam. De verhouding tussen mij en Sally en die zwerm slijmerds van *The Art News* is veel slechter geworden. We doen niet eens meer alsóf. Als ik een van hen op straat tegenkom, kijkt hij of zij (het is eigenlijk altijd een zij) de andere kant op. Ik vind het heerlijk, zoals hun staartjes opzij zwiepen als ze hun hoofd wegdraaien om me niet aan te kijken. Ik werp ze meestal een lipscheet toe als ze dat doen. Soms beantwoorden ze die door overdreven met hun heupen te zwaaien terwijl ze wegbenen, een vrouwelijk gebaar dat ik, moet ik toegeven, nooit heb begrepen. Jij wel? Het zou allemaal lachwekkend zijn als het niet zo woestmakend was. Afgezien van het feit dat ze me niet meer uitnodigen op hun feestjes, goddank, doen ze uiteraard alles wat in hun macht ligt om te voorkomen dat mijn symposium ooit van de grond komt. Ik heb uit betrouwbare bron vernomen dat Fran het tijdens een vergadering van het Fonds voor de Kunsten 'Andy's aberratie' heeft genoemd. Die zorgt er wel voor dat ik geen rooie cent van ze krijg. Er heeft vorige week een artikel over de plaatselijke scene in de *Rapid Falls Current* gestaan. Ze hebben niet eens de moeite genomen contact met me op te nemen. Ik zou de hele donderse boel dolgraag vergeten, een paar weken vrij nemen en bij jullie op bezoek komen. Maar nu ik zo krap zit, en hier bovendien ontzettend veel te doen heb, gaat dat nooit lukken. Ik ben drieënveertig. Ik hoor dit niet te doen. Geef Chumpley een stomp op z'n snuit van me, en zeg dat ie me een paar foto's stuurt van waar hij nu mee bezig is.

Mis jullie allebei,
Andy

¶

Beste meneer Freewinder,

Ja, ik heb uw vorige brief inderdaad ontvangen, en ik kan u verzekeren dat we, zoals u voorstelt, krachtige stappen zetten, dat ik ze persoonlijk zet. De zaken beginnen, terwijl ik dit schrijf, zelfs op gang te komen. Misschien is dat niet meteen duidelijk, aangezien de meeste dingen, om het maar eens zo te zeggen, achter de schermen gebeuren, en in kleine stapjes, stukje bij beetje, maar die stukjes en beetjes stapelen zich niettemin op. Het is waar dat The Whittaker Company het de laatste tijd moeilijk heeft. Het probleem kan worden teruggevoerd op een ongebruikelijk lange reeks slechte huurders, en niet op mijn, zoals u het omschrijft, nonchalante managementstijl. Ik doe hard mijn best om die rotte appels eruit te werken en betere huurders binnen te halen. Zoals u zich voor zult kunnen stellen, is dat moeilijk te realiseren zolang de slechte huurders er nog zijn en in hun hemd op de stoep zitten. Het zal tijd vergen. We zijn aan alle kanten verbeteringen aan het aanbrengen. Als u American Midlands ervan kunt overtuigen de aflossingstermijnen van de lening een paar maanden op te schorten, zult u allemaal aangenaam verrast worden.

Hoogachtend,
Andrew Whittaker
The Whittaker Company

ꝯ

Beste meneer Goodall,

Hartelijk dank dat u ons uw verzameling gedichten 'Het zwaaiende houweel' hebt laten lezen. Na ampele overweging zijn we, tot onze spijt, tot de conclusie gekomen dat het werk op dit moment niet beantwoordt aan onze behoeften.

Andrew Whittaker, Redacteur

ꝯ

Als ik mezelf maar eens helder kon zien; al was het maar in de spiegel. De ene dag zie ik daar een imposante man met een aanzienlijke waardigheid. Hij zou een grijze gleufhoed moeten dragen, al heb ik die niet voor hem. Hij zou binnenshuis natuurlijk sowieso geen hoofddeksel dragen, tenzij hij toevallig een politieagent is. Als hij een politieagent was, zou hij een of andere rechercheur zijn, van Moordzaken waarschijnlijk. Geweldig, zoals hij zijn schouders ophaalt. Ze zeggen: 'We zijn dol op dat langzame schouderophalen van hem.' Dat schouderophalen heeft de perfecte mengeling van zelfvertrouwen en minachting, met een vleugje wanhoop. Maar hij is niet het type man dat een zinsnede als 'een vleugje wanhoop' zou gebruiken. Hij zou geen 'vleugje' of 'wanhoop' zeggen, en al helemaal niet achter elkaar. En als hij dan een beetje van iets in iets anders wilde doen? Hij zou niet koken, dus zout kon het niet zijn, hoewel als dat wel het geval was, hij 'mespuntje' zou zeggen.

En soms zie ik een andere man voor me, eentje die niet imposant is maar eerder sjokkerig, opgeblazen. 'Terugwijkend', zou ik willen zeggen. Ik merk op hoe zijn wangen bollen. Hij lijkt geen vaste vorm te hebben, of hooguit een vorm met vage contouren. Hij is niet goed met zijn handen, dat weet ik wel zeker. Hij maakt voortdurend dingen kapot, zoals medaillons waarvan mensen hem gevraagd hebben die te repareren. Hij trekt het delicate gouden kettinkje kapot, het medaillon valt en glijdt door een verwarmingsrooster, met de enige foto van haar grootmoeder erin. Zijn pianoleraar zei dat hij worstenvingers had. Een hoed heeft hij ook al niet, hoewel hij er wel eentje zou moeten dragen, want zijn haar is aan het dunnen; onder het fluorescerende licht in de kamer met de spiegel is zijn schedel blauwgrijs en schilferig. Bij die eerste man denk je aan woorden als 'onverzettelijk' en 'gehard'. Bij de tweede aan 'slijmerig', of misschien 'gesmolten' of 'amorf'. Zijn – of hun – kaak 'steekt naar voren' bij de een en 'hangt' bij de ander. Een man zonder eigenschappen. Ik weet nog dat Jolie zei dat ze nooit zou trouwen met iemand die zo ambigu was als ik.

§

Beste Dahlberg,

Even een briefje om je te laten weten dat de roofzuchtige postbode van wie je vreesde dat hij zich uit de voeten had gemaakt met je manuscript, blijkbaar van gedachten is veranderd. Het is vanochtend gearriveerd, gehavend maar intact. Ik had niet helemaal op zoiets kolossaals gerekend; het is mogelijk dat we het over verschillende nummers zullen moeten uitsmeren. Ik kan er nu even niet naar kijken, aangezien ik op het punt sta de deur uit te gaan. Ik wilde je alleen laten weten dat ik het heb, en ernaar uitzie het te lezen.

Andy

❡

ALLE HUISAFVAL S.V.P. DEPONEREN IN DE METALEN BAKKEN
DIE ACHTER HET GEBOUW STAAN

❡

Beste meneer Stumphill,

Hartelijk dank dat u ons de gelegenheid gaf uw werk te lezen.
Er zitten heel sterke passages in het verhaal, maar het is veel te
lang, niet alleen voor ons tijdschrift, maar ook voor de meeste
lezers die niet vertrouwd zijn met de bijenteelt. De bijen hebben veel persoonlijkheid, maar het zijn er te veel en hun namen zijn verwarrend. De moord, hoewel gruwelijk, is niet
plausibel, want hoe kunnen de bijen weten welke broer het
shirt had gestolen? Bob Curry woont bij u in de buurt. Als u
hem tegenkomt, breng hem dan mijn groeten over.

Hartelijks,
A. Whittaker, Redacteur

❡

Mijne heren,

Toen ik deze morgen wakker werd, ontdekte ik dat mijn telefoon niet langer een vriendelijk zoemend geluid maakte als ik
hem tegen mijn oor druk. Hij maakt helemaal geen geluid
meer, en dat is HEEL VERVELEND. Ik ben me bewust van de
som gelds die ik u schuldig ben, ik betwist de geldigheid van
uw zaak niet. Wanneer het maar kon, heb ik u kleine bedragen
gestuurd, meer dan zomaar een beetje wisselgeld. Ik heb mijn
goede wil getoond. Ik heb een zaak te bestieren. Misschien
lijkt het in uw ogen geen zaak, maar in de mijne is het dat wel.
Dat hij niet is opgenomen in de Gouden Gids komt alleen

omdat ik me niet kan VEROORLOVEN te adverteren in de Gouden Gids. Dat had u kunnen weten. Ik heb mevrouw Slipper persoonlijk uitgelegd dat ik, als ze mijn telefoon afsloot, waarschijnlijk NOOIT in staat zou zijn u te betalen. Dat was een appèl op uw eigenbelang, en dat dat geen effect heeft gesorteerd, siert u. Daarom appelleer ik nu aan uw hart. Ik zit op mijn knieën. Hetgeen mijn trots kwetst. Hervat ALSTUBLIEFT de aan mij geboden diensten. Ik zal u binnen zes maanden volledig betalen. Ik geef u mijn woord.

Met de meeste hoogachting,
Andrew W. Whittaker

❡

GEEN SIGARETTENPEUKEN IN DE BLOEMPOTTEN GOOIEN

❡

Beste Fern Moss,

Na ampele overweging is de redactie van *Soap* met spijt tot de conclusie gekomen dat je gedichten op dit moment niet in ons blad passen. Ik voel me er echter niet prettig bij ze met louter een afwijzingsbriefje aan je te retourneren. Hoewel we proberen deze afwijzingen zo kort en pijnloos mogelijk te laten zijn, zijn we ooit allemaal jonge schrijvers geweest en weten we uit persoonlijke ervaring dat ze diepe wonden kunnen slaan, wonden die in sommige gevallen jarenlang ongemerkt blijven etteren om pas jaren later tot dronken uitbarsting te komen tijdens iemands boekpresentatie. Je werk heeft een dappere frisheid die ik niet graag gefnuikt zou zien door een gedachteloze daad van onze kant.

Ik wil meteen maar opmerken dat het me verbaast dat meneer Crawford je een tijdschrift als *Soap* heeft aanbevolen als de beste plek om te beginnen, hoewel het absoluut getuigt van zijn waardering voor onze inspanningen. Zit ik ernaast als ik aanneem dat je in feite nooit een exemplaar van onze publicatie hebt ingezien? Eerlijk gezegd ben ik bang dat je de meeste dingen die wij publiceren tamelijk deprimerend zou vinden, mogelijk zelfs ronduit verbijsterend. Misschien zul je sommige dingen erin aanstootgevend vinden. Daar valt, hoe betreurenswaardig ook, niets aan te doen.

Dat gezegd zijnde, vind ik je serie 'Zelfportret in vijf delen' een exceptioneel werk voor iemand van jouw leeftijd. Meneer Crawford heeft absoluut gelijk dat het een bepaalde 'sprankeling' heeft en je verdient alle tienen die hij je kan geven. Hoewel de gedichten niet het soort poëzie zijn dat *Soap* normaal gesproken publiceert, hebben ze overduidelijk een zekere poëtische energie en charme. Volgens mij zouden de gedichten waarin paarden worden genoemd een goede kans maken te worden opgenomen in *Corral* of *American Pony*. Die tijdschriften liggen allebei in de wachtkamer bij mijn tandarts, en het is me opgevallen dat ze regelmatig gedichten met een paardenthema afdrukken, waarvan de meeste inferieur zijn aan die van jou. En er is niks op tegen om klein te beginnen. Daarmee bouw je een reputatie op, en daar bouw je op voort. Zo hebben we het allemaal gedaan.

Ik ben me er maar al te zeer van bewust hoe pijnlijk het is als je werk wordt afgewezen. De eerste keer dat het gebeurt, is het het pijnlijkst, omdat je dan nog niet het benodigde pantser van cynisme hebt ontwikkeld. Om die reden wil ik benadrukken dat ik echt potentie in je werk zie. Het spijt me oprecht dat we je bijdrage deze keer niet kunnen gebruiken. We zouden je werk in de toekomst uiteraard graag in overweging nemen, hoewel ik je aanbeveel eerst kennis te nemen van het soort geschriften dat we publiceren voor je iets nieuws instuurt.

Alle goeds,
A. Whittaker
Redacteur van *Soap*

❡

Egan Phillips stond op de veranda voor zijn huis uit te kijken over het hoge water van Lake Michigan. Door een gele trui stak hij fel af tegen de grijsheid van de dag en werd hij opgemerkt door een vrouw op een fiets. Ze fietste hier elke dag langs om een oude vrouw melk te brengen, fietste langs dit huis. Ze fietste er zelfs al vanaf haar kindertijd af en toe langs, toen ze er ook vaak met haar vader langs was gereden op de tractor. Hij liet haar op de tractor rijden als hij dacht dat haar moeder er niet achter zou komen. Dat was een geheim tussen hen tweeën. Het verraste haar dat ze iemand op de veranda zag staan, aangezien het huis nauwelijks meer dan een bouwval was. Iets aan die figuur in de gele trui, iets duisters, maakte dat ze haar voeten uitstak, en ze over het grind langs de weg liet glijden, om volledig tot stilstand te komen voor het huis, zij het veilig aan de overkant van de weg, want ze wist niet waar de figuur een slecht voorteken van kon zijn. De man op de veranda zag dat ze stopte door met haar voeten over het grind te slepen, en dat herinnerde hem aan iemand die hij lang geleden had gekend. De wind waaide gele strengen van haar blonde haar in haar gezicht. Nu straalde dit meisje, haar silhouet tegen de deinende borst van het gezwollen meer, haar licht in zijn richting.

§

Aan alle huurders:

Zoals in uw contract is opgenomen, dient de huur op elke eerste werkdag van de maand te worden voldaan. Dat betekent dat het op die dag *op mijn kantoor* moet zijn. Dat het ergens in het postale systeem rondzwerft, telt niet. Met ingang van 1 augustus zal er een toeslag van twee dollar ($2,00) worden opgeteld bij de huur van de volgende maand voor *elke dag* dat de huur te laat binnenkomt.

De directie

¶

Beste Willy,

Ik tel het na op mijn vingers. Is het echt al elf jaar geleden? We hadden beloofd dat we contact zouden houden, en toch … Ik neem aan dat je zelfs in Californië zo nu en dan iets zult meekrijgen van onze bezigheden hier, dingen waar mensen bij jou in de regio zeker geïnteresseerd in zouden zijn, als ze zich over bepaalde regionale kortzichtigheden heen zouden zetten. Maar dat weet je uiteraard. Ik ga je boeken altijd op de dag van verschijning halen. Nou ja, 'halen' is waarschijnlijk niet het juiste woord, aangezien ze hier niet echt 'verschijnen'; ik moet ze bestellen uit New York, wat ik altijd doe zodra ik erachter kom dat er een nieuw boek uit is, wat soms maanden later gebeurt. En zo nu en dan zie ik er een recensie van in een van de kleinere periodieken. Ik heb zelf nog een heel positief beschouwinkje over je derde roman geschreven voor *The Glass Stopper* – een interessant blaadje, voor zolang het duurde. Helaas pleegde de kerel die het uitbracht zelfmoord, voor het nummer waarin mijn artikel zou staan kon verschijnen; hij sprong van het dak van een parkeergarage voor een bus. Anders had ik het wel naar je doorgestuurd. In het essay betoogde ik dat *Cadillac Waltz*, *Buttocks* en vooral *Elevator Ping-Pong Raga* niet onderdoen voor het beste werk van Simon Kershmeyer. Ik kan waarschijnlijk wel een carbondoorslag voor je opscharrelen als je geïnteresseerd bent. Telkens als jouw werk in positieve zin genoemd wordt, ervaar ik een hevig, warm genot bij het zien slagen van een oude vriend; een genot dat, ik geef het toe, een kleine mate van persoonlijke voldoening bevat. En waarom zou dat niet zo zijn? Ik was tenslotte degene die onze kleine bent geleid heeft in de richting van de experimenten die vooral jij zo hebt geperfectioneerd. Ik beschouw mezelf graag als de vonk die de vuurzee heeft doen ontbranden. Het vervult me daarom ook van hevige verontwaardiging dat je laatste roman in de *New York*

Times, The New Yorker, Harper's, de *Saturday Review* etc. zo denigrerend werd besproken, zeker gezien de eerbied waarmee diezelfde mensen die kwezel van een Marcus Quiller benaderen, van wie ik wonderlijk genoeg vorige week nog een ansichtkaart ontving. Het doet me deugd je te kunnen meedelen dat hij nog precies zo is als vroeger: zelfvoldaan, minzaam en louter gericht op eigenbelang.

Maar genoeg daarover. Ik schrijf je niet om oude roddels te loeien. Ik heb een vriend in nood, een heel bijzondere vriend die volledig uit woorden en papier bestaat. Ik doel daarmee uiteraard op het oude, vertrouwde *Soap*. Ik kan me niet voorstellen dat je mijn tijdschrift daar nooit bent tegengekomen, hoewel je je misschien niet bewust was van mijn nauwe betrokkenheid erbij; ik zet mijn naam niet in chocoladeletters op het omslag. We hebben een paar verkooppunten in jouw omgeving, en je kunt meestal wel een exemplaar ervan op een van die punten te pakken krijgen, maar voor de zekerheid sluit ik het laatste nummer bij. Ik ben bang dat het een beetje moeilijk te lezen is, omdat de pagina's in de verkeerde volgorde zijn gedrukt. Misschien is het makkelijker er eerst de nietjes uit te halen. Ze zijn de paginanummers ook vergeten, maar die heb ik er met potlood voor je ingezet. Ik ben een van de oprichters van het tijdschrift (mijn ex-vrouw Jolie was de andere), en ik ben nu reeds zeven jaar de enige redacteur. Niemand die onze laatste nummers heeft gezien, die tot onze sterkste behoren, zou de pijnlijke waarheid kunnen bevroeden – het feit dat het tijdschrift, als het al niet op zijn sterfbed ligt, in elk geval gevaarlijk dicht daar naartoe aan het wankelen is. Tenzij het binnenkort een serieuze geldelijke injectie krijgt, zal het zeker sneuvelen. (Maar maak je geen zorgen, dát soort hulp vraag ik niet van je.) Het verscheiden van *Soap* zou voor niemand een gedenkwaardig moment zijn, behalve voor mij en een paar honderd trouwe abonnees en medewerkers, ware het niet dat er *helemaal niets* is om er de plaats van in te nemen. Stel je voor: een regio ter grootte van Frankrijk met geen enkel podium voor eersteklas werk van plaatselijke schrijvers. Zeven jaar lang, vanaf ons eerste nummer, dat uit niet meer dan drie gestencilde pagina's bestond, heb ik er met Poundiaanse bezetenheid naar gestreefd werk van dat kaliber aan het lezerspubliek te bieden, en dat niet alleen zonder stéún van onze plaatselijke zogenaamde kunstpausen, maar in weerwil van hun actieve tégenwerking. (Ik noem het alleen tegenwerking in plaats van sabotage, omdat ik geen overtuigende bewijsstukken in handen heb.) Zonder de stem van *Soap* – hoe schril die in de oren van sommige mensen soms ook mag klinken – zou de hele regio worden bepaald door het vulgaire populisme van werken als Sokals *Maanlicht en maandonker*, een typisch en deprimerend voorbeeld van het soort boek dat hier heden ten dage hoog wordt aangeslagen. Maar, aangezien je hier bent opgegroeid, weet je dat natuurlijk allemaal. En toch gaan we moedig voorwaarts, jij en ik. En in mijn geval betekent voorwaarts gaan, naast de langzame, insectachtige constructie van mijn eigen werken – ik ben momenteel bezig met een vreemd dingetje dat we denk ik maar een roman moeten noemen –, dat ik blijf proberen *Soap* boven water te houden.

Mijn hersens pijnigend heb ik een ideetje bedacht voor komende april of mei dat volgens mij weleens kan werken, de benodigde fondsen kan genereren en tegelijkertijd voor wat publiciteit kan zorgen. *Soap* gaat een weekend vol symposia, lezingen en workshops organiseren. Het idee is om een paar werken uit de echte avant-garde van de literatuur te nemen en die onder het motto '*Far Out is Fun*' als handschoenen in het gezicht van een verbijsterd publiek te gooien. In diezelfde geest denk ik erover voor de pauzes straatartiesten uit te nodigen, en misschien ook voor tijdens de maaltijden, of klinkt dat overdreven? We kunnen niet hebben dat iets de discussies overstemt, waarvan ik verwacht dat ze levendig en kritisch zullen zijn, dus om te beginnen misschien alleen vuurvreters, jongleurs en dergelijke, en geen muzikanten. Hooguit een paar nauwelijks hoorbare in een hoek, harpspelers of zo. Ik heb geprobeerd een naam voor het evenement te bedenken. Hoe klinkt '*The Words on Fire National Conference*'? Is dat te afgezaagd? En wat vind jij beter: 'Festival' of 'Conferentie'? Ik word maar steeds heen en weer geslingerd tussen die twee. Ik wil een feestelijke sfeer suggereren, maar ik wil niet dat het als een groot feest klinkt. Ik heb het er hier in de buurt al een paar maanden over, en de reacties zijn tot dusver geweldig. Als we niet tot in de kleine uurtjes doorgaan, zullen we nooit genoeg plek in het programma hebben om alle onderdelen op te nemen die mensen hebben voorgesteld. Er bestaat zo'n ongelooflijke honger naar zoiets als dit. Maar een belangrijke vraag die nog steeds niet is beantwoord, is wie die *Awards Lecture* moet houden. Die lezing moet, samen met het eropvolgende banket en bal, de grote klapper van het hele klapstuk worden. Het Grand Hotel in het centrum heeft onlangs de praktische oude Hoover Ballroom gerestaureerd, en ik heb gehoord dat een paar van onze plaatselijke bands behoorlijk goed zijn (zelf luister ik bijna nooit naar muziek). Ik heb een heleboel ongeschikte suggesties voor sprekers gekregen, en daarop heb ik alleen gereageerd met een nietszeggend knikje. Dat komt omdat ik jou van het begin af aan in gedachten heb gehad, maar dat idee voor mezelf heb gehouden voor het geval je die week al bezet bent. Ik kan je geen voorschot geven, maar je wel een onkostenvergoeding beloven plus een bescheiden honorarium na afloop. Jouw aanwezigheid zou een ontegenzeggelijk eigenzinnige afsluiting van het festival zijn. Uiteraard zouden de plaatselijke zogenaamde hotemetoten liever een eerbiedwaardige oude krijger als Norman Mailer zien of, erger nog, een charlataneske eendagsvlieg als Quiller. Ik weet nog dat jij de bestsellerlijst van de NYT altijd 'het rooster der schaamte' noemde en dat je dan elke zondag, aangemoedigd door ons geroep en gelach, op een tafel klom in de cafetaria en hem hardop voorlas, waarbij je de titels uitsprak met dat slepende namaak Oxford-accent van je, waardoor iedereen in een deuk lag, zo volmaakt belachelijk als je al die boeken liet klinken. Daarom betwijfel ik of je Quillers laatste voortbrengsel, *Het geheime leven van echo's*, hebt gelezen. Gezien de welbekende literaire voorliefdes van de verdachte, zal het je niet verrassen dat het wederom een ratjetoe van softporno en quasifilosofische overpeinzingen is; eerst neuken ze en vervolgens praten ze over de Betekenis van de Geschiedenis. Hij laat Errol Flynn opduiken als geestverschijning om de arme sloeber uit de arbeidersklasse die door zijn knappe verschijning en hersens een baan bij Goldman Sachs heeft weten te versieren, kledingadvies te geven. In het hokje naast het zijne huist Neenah, met haar lange benen, grote tieten en 'vochtige pudenda' (zijn woorden). Moet ik nog meer zeggen? De legers maken zich op voor de strijd. Omgord je lendenen, Willy, en voeg je in april bij ons.

Het allerbeste,
Andy Whittaker

§

Beste Dahlberg,

Ik ben de afgelopen anderhalve dag met je manuscript bezig geweest. Ik wilde het helemaal lezen voor ik je schreef, maar ik kan niet doorgaan. Ik weet echt niet wat ik moet zeggen, behalve dan dat het niet is wat ik ervan verwachtte, dat wil zeggen iets wat meer in dezelfde lijn lag als je eerdere werk. Toen ik dit nieuwe materiaal las, had ik het gevoel dat ik over een dikke laag zompig stucwerk liep. Je denkt dat je, als je eenmaal aan het eind van een oneindige zin zonder werkwoord of onderwerp bent gekomen, en eindelijk de relatieve veiligheid van een punt hebt bereikt, dat je gewoon de kracht niet zult hebben voor de volgende zin, niet genoeg wilskracht zult hebben om een beklonterde laars uit de kleverige rotzooi te trekken en voort te sjorren, nog meer rotzooi in, tot het je uiteindelijk écht niet meer lukt, en je het ook niet meer doet, waarop je het hele geval van je schoot op de grond laat glijden.

Wat is er gebeurd met dat stoere ventje dat stoere verhaaltjes vertelde over zijn leven als winkelbediende in een ijzerhandel?

'Good Luck and Smart Value' werd positiever ontvangen dan zo'n beetje alles wat we in jaren hebben gepubliceerd. Volgens mij heb ik je dat ook verteld. Natuurlijk, we kregen het voorspelbare, lullige gekat van die sukkels van *The Art News* over ons heen. Ik had je dat knipsel nooit gestuurd als het in mijn hoofd was opgekomen dat je het als iets anders dan een geweldige bak op zou vatten. Als die lui je werk góéd vinden, Dahl, dan moet je je zorgen gaan maken. Geloof me, jouw beschrijving van de echtgenote van de winkeleigenaar die zakken cement van vijfentwintig kilo in de achterbak van die pick-up hees was ronduit gewéldig. Ik bedoel, dát was het ware schrijven. Je had voor hetzelfde geld een op en neer gaande pistonpomp kunnen beschrijven of een soepeltjes ratelende mechanische lier, zo koud en doods was je proza, en toch ook zo koortsachtig. Er zat de genadeloze eerlijkheid in die we normaal gesproken associëren met handleidingen. Dat je niet bepaald een gepolijst schrijver bent, werkte in je voordeel; het is zoals Hemingway misschien had geschreven als hij nooit op de middelbare school had gezeten. Ik moet je bekennen dat ik je benijdde om je rauwe energie, de authenticiteit van die stem, en bedacht hoe leuk het zou zijn om zo te schrijven. Ik retourneer hierbij met spijt je manuscript.

Andy

⁊

Ik word me er nu pas bewust van dat er iets vreemds aan het gebeuren is. Gewone voorwerpen – stoelen, tafels, bomen, mijn eigen handen – lijken *dichterbij* te zijn gekomen dan ze waren. De kleuren zijn helderder, de randen scherper. Het is een proces dat gaande is, dat zich in de afgelopen weken in toenemende mate heeft voltrokken, zonder dat ik het echt merkte. En het heeft een enorm nieuw gevoel van zelfvertrouwen met zich meegebracht. Misschien begin ik er eindelijk overheen te komen dat Jolie is vertrokken. Als ik erop terugkijk, zie ik nu in dat ik waarschijnlijk een echte klinische depressie heb doorgemaakt. Pas nu, achteraf, kan ik helder zien hoe eenzaam ik ben geweest. Ik ging bijna nooit naar een restaurant, naar de film, nergens heen eigenlijk, afgezien van in mijn eentje wandelen in het park. Ik trok thuis gewoon conservenblikken open. En het afschuwelijke is dat ik er na een maand of twee rechtstreeks uit begon te eten, uit die blikken. Dan stond ik in de keuken, lepelde het spul uit die blikken en zette ze daarna op het aanrecht. Nu zijn de mieren gekomen, met miljoenen tegelijk. Dat soort gedrag versterkt zichzelf. En ik was natúúrlijk geen al te best gezelschap. Ik was afschúwelijk gezelschap. Dat zie ik nu wel in. Dus na een paar halfslachtige pogingen hadden mensen uiteraard geen zin meer om me uit te nodigen, om me vervolgens alleen maar te zien zitten onder mijn wolk van somberheid. Het idee was, denk ik, dat als ik hen niet kon vermaken, ik naar de donder kon lopen. Ik kreeg gedachten die, zie ik nu in, praktisch paranoïde waanbeelden waren. Ik overtuigde mezelf ervan dat onze zogenaamde beste vrienden, de echtparen Willingham en Pretzky, me nóóit hadden gemogen, dat ze eigenlijk altijd alleen Jolie hadden willen uitnodigen en dat ik erbij zat als een soort betreurenswaardig aanhangsel, een buitengewoon onaantrekkelijk ouder familielid dat ze gedwongen was met zich mee te zeulen. Ik vraag me af wat ze nu zouden zeggen, als ze die mieren konden zien. Aan de andere kant, hoe gedroeg ik me dan die paar keer dat de Pretzkys me wel uitnodigden? Ik zat daar maar, eten heen en weer te schuiven op mijn bord. Volgens mij praatte ik heel eentonig en saai, ik hoorde hoe saai ik praatte, terwijl ik daar aan het hoofdeind van de tafel maar doorbazelde. Maar ik kon het niet tegenhouden, kon mezelf niet tegenhouden, de woorden bleven maar naar buiten sijpelen, bijna zonder stembuigingen, als een saaie stroom. Ik weet nog dat ik op een bepaald moment opkeek van mijn bord, en zag dat Karen John, die naar zijn eigen bord zat te staren, een betekenisvolle blik toewierp. Betekenisvol, en toch *begreep ik maar niet wat hij betekende*. God, wat haatte ik die twee toen ik thuiskwam! Haatte hen omdat ik door hen een mompelende idioot leek, of erger, een vervelende ouwehoer. Nu voel ik een nieuwe kracht om te schrijven, de zinnen stromen er gewoon uit. Ik voel dat de boeken zich in me opstapelen. Ik hoef ze maar open te slaan, mezelf open te slaan, en de woorden op te lezen.

¶

Lieve Jolie,

De wanhoop van een week verspreidt zich als schimmel, en het geluk van volgende week schittert als een glimmende polijstlaag op alle kleine knoopjes (ik bedoel de dagen). Weet je nog hoe we, toen papa eindelijk dood was en wij het onroerend goed kregen, dachten dat we voor de rest van ons leven gebeiteld zaten? We zouden net zo worden als Leonard en Virginia Woolf, maar dan omgekeerd – jij zou achter de drukpers staan, terwijl ik erboven romans uit zou stampen. Lachwekkend, hè? Of misschien waren het Sartre en Simone. Als ik er nu op terugkijk, op ons, op mij en mijn fantasietjes en de stapels met mijn doodgeboren pogingen, moet ik grijnslachen.

Ik was, uiteraard, dolblij toen ik hoorde dat die 'lieve Marcus Quiller' bij je op de stoep stond, toen je afgelopen vrijdag thuiskwam van college. Na al die jaren! En dat hij er zo jeugdig uitzag! Ik had, toen ik er per ongeluk uitflapte dat jij naar Brooklyn was verhuisd, kunnen weten dat hij naar je op jacht zou gaan, je in de val zou lokken, al naargelang je blik op de zaak, op hem. Die jongen van Marcus laat geen kans voorbijgaan. Ik zie er overduidelijk niet jeugdig uit. Als ik in de spiegel kijk, zie ik er geteisterd uit, zie ik er afgrijselijk uit. Ik besteed het grootste deel van mijn tijd aan de saaiste, meest geestdodende, zielvernietigende, maagomkerende activiteiten die je je voor kunt stellen. Maar dat kun je je natuurlijk níét voorstellen, want het is nu nog véél erger dan toen jij hier nog was. Maar ik schrijf je niet om te klagen. Het gaat eigenlijk tamelijk goed met me, ondanks alles. Mijn projecten gieren vooruit. Maar financieel gezien zit ik in een lastige periode, en je zult het met je eigen geld moeten rooien tot ik het tij weet te keren. Ik ben onderhandelingen begonnen met de bank. Ik voel me sterk en vol zelfvertrouwen.

Andy

§

Lieve Anita,

Gisteren pakte ik een klein, bruin vogeltje van het trottoir dat uit zijn nest was getuimeld – brede clownsmond en stompe vleugeltjes als piepkleine flippers. Terwijl ik het in de kom van mijn hand hield, dacht ik aan de achteloze wreedheid van de natuur en het bittere lot van al diegenen die uiteindelijk het nest uit worden gedreven, die moeten vechten tegen de pijnscheuten der eenzaamheid terwijl ze zoeken naar voedsel. Net als dat vogeltje voelde ik me op dat moment hulpeloos en naakt in een wereld waarvan de willekeur moeilijk te begrijpen is; en toen, zoals dat gaat met gedachten, die nu eenmaal onbeheersbaar maar toch onderling verbonden zijn, dacht ik aan jou en aan onze twee dagen in Rochester. (Waren het er maar twee? Nee. Het was een eeuwigheid, een kort moment, of allebei tegelijk. Zoals ik ooit in een gedicht heb geschreven: 'Hoe krimpen we ineen, bij de sluwe streken van de tijd.' Of misschien was het 'in de wurggreep van de tijd', dat weet ik niet meer precies.) Terwijl dergelijke gedachten door mijn hoofd speelden, liep ik vlug naar huis om deze brief te schrijven.

Gezeten achter mijn bureau staar ik uit het raam naar de plek waar ooit een machtige iep stond die niet langer overeind staat. Het was nog maar gisteren, zoals de uitdrukking luidt. Net als wij, net als onze 'verhouding', werd hij bij de knieën afgezaagd. Ik staar peinzend naar buiten en laat de spoel van de tijd draaien, terwijl ik in mijn herinnering onze twee dagen van passie in dat verkreukelde nest van vochtige lakens en kussens frame voor frame opnieuw beleef. Twee fantastische dagen… en toen? En toen ging ik terug naar het mijne, en jij naar het jouwe. Maar waaróm?

Ik vraag me af, Anita, of jij je net als ik weleens die vraag stelt. Was het echt alleen maar een gevoel van verplichting tegenover diegenen die we ooit een achteloze belofte hadden gedaan? Ik weet best dat we wilden geloven dat dat het was. Ik weet nog dat we, terwijl we op het vliegveld wachtten op het vertrek van onze afzonderlijke vluchten, spraken van 'arme Jolie' en 'arme Rick'. We hadden het gevoel dat we onszelf opofferden, nobel waren en met onszelf te doen hadden. Toen raakten onze lippen elkaar voor het laatst, kort en ruw, want we stonden bij de boarding gate en mensen duwden en wrongen zich langs ons. Terwijl ik over het asfalt naar mijn vliegtuig liep, keek ik over mijn schouder en zag een rij gezichten naar me kijken vanaf de terminal, neuzen en lippen die grotesk werden platgedrukt tegen het glas. Welke was van jou? Ik kon het niet zien, dus wierp ik ze allemaal een kus toe.

Wat ziet het er achteraf allemaal anders uit. Nu zie ik niet veel nobels maar behoorlijk wat lafheid. We keerden ons af van een stortvloed die, als we ons kleine vlotje erop hadden gezet, ons god weet waarheen had gebracht – misschien een draaikolk in, of misschien ook wel naar een klein eilandje met een kokospalm! In plaats daarvan kozen we ervoor te blijven peddelen in de kalme wateren van de huiselijkheid, hoewel we in ons hart wisten dat die wateren al bezig waren te stollen tot stilstaande moeraslanden! Daar ben ik gauw genoeg op de hardste en pijnlijkste manier achter gekomen, en er is me net via Stephanie M. ter ore gekomen dat het jou niet veel beter is vergaan. Wij dachten aan hén, maar hebben zij ooit aan óns gedacht? Als het een troost voor je is, laat me dan zeggen dat ik Rick altijd een enorme klootzak heb gevonden, net als iedereen die hem kent.

Anita, er is zoveel water onder zoveel bruggen gestroomd

dat ik vrees dat we het geluk door onze vingers hebben laten glippen. Acht turbulente jaren, en toch is het beeld van jou ongeschonden alsof het gisteren gemunt was. Ik zie je nog voor me zoals je daar op onze laatste avond zat, op de rand van het bed in dat armoedige betonblokmotel aan de rand van Rochester. Een enorme neonreclame flikkert vlak achter haar raam en baadt de kamer afwisselend in felle tinten groen en rood. Je hoofd naar beneden, je borsten bloot, je vochtige haar dat als een donker gordijn langs je gezicht hangt. In het veranderlijke halflicht kijk je naar een grote menukaart die op je knieën ligt. Nu zoomt de camera uit, en ben ik ook in beeld. Ik leun tegen een ladekast, met mijn elleboog op een stapel lege pizzadozen. Ik heb alleen mijn broek aan, een antracietkleurige sportpantalon van JCPenney zonder shirt of sokken. Het tapijt onder mijn voeten ligt bezaaid met weggegooide kledingstukken en bierblikjes. Dit is, zoals ze dat noemen, het einde van een affaire. We proberen te beslissen of we een pizza met gehakt of peperoni zullen bestellen. Voor jouw blik verborgen door het gordijn van haar, staar ik aandachtig naar jou, alsof ik je beeld in mijn hoofd wil prenten, terwijl jij doorratelt over belegopties. Daar ben ik maar al te goed in geslaagd, blijkt, want dat beeld is er nog steeds, onuitwisbaar en kwellend: sterk afstekend tegen het donker van je bruine zomerhuid, worden je borsten groen en rood, wapperende seinvlaggen in de donkere nacht van het geheugen.

Is het echt te laat, Anita? Ik realiseer me dat je misschien al geluk hebt gevonden in een nieuwe relatie – het nieuws dat ik van je heb gehoord is traag en oudbakken – of misschien ga je helemaal op in je werk en heb je het te druk om een ijdele gedachte te wijden aan een oude vlam, als dat is wat ik voor je ben. Als dat het geval is, verscheur dan deze brief en gooi hem in de prullenbak bij de Kleenex en de snoeppapiertjes. Of liever: doe dat niet. Luister naar je hart. Ik móést je schrijven. Ik hield mezelf voor dat het nooit verkeerd is om je vast te klampen aan strohalmen en om, als je dat eenmaal hebt gedaan, verder te zwemmen. Wat er ook gebeurt, op welke oever ik uiteindelijk ook aan zal spoelen, ik zal blij zijn dat ik je geschreven heb. Het is alsof dat kleine vogeltje dat ik in mijn hand hield, zijn vleugeltjes heeft gespreid en is weggevlogen, hoewel het dood was.

Lieve groet,
Andrew

§

Wat is dat toch met mij, dat ik mezelf steeds belachelijk maak? Het zal in de grond wel gewoon een perverse vorm van ijdelheid zijn, de lolbroek van de klas die zich idioot aanstelt om niet helemaal te verdwijnen. Maar toch, ik doe niet alsof, en de diepe schaamte die ik in situaties als deze voel is volkomen oprecht. Ik schrijf een brief, blozend van schaamte bij elke zin, tot aan het puntje van mijn oren, en verstuur 'm dan. En als ik dan van de brievenbus terugloop naar huis, betrap ik mezelf erop dat ik mompel: 'Dat zal ze leren.'

§

Beste kapitein Barrows,

Ik deel uw wanhoop over de staat van de Amerikaanse letteren. Het is absoluut waar dat je, waar je ook kijkt, cynisme en spotternij ziet en dat we de grootse humanistische traditie uit het oog zijn verloren, wat die ook was. Daar komt, zoals u schrijft, bij dat de meeste mensen beroerd zijn in grammatica, wat geen al te beste indruk geeft van hun ouders en leraren, wie dat ook waren. Ik ben persoonlijk echter niet in staat daar iets aan te veranderen.

Hoogachtend,
Andrew Whittaker

¶

Beste meneer Kohlblink,

Zoals ik al twee keer eerder heb geschreven, dienen alle inzendingen getypt te zijn.

¶

Lieve Jolie,

Ik heb je, geloof ik, een paar dagen geleden geschreven, en nu zijn er alweer nieuwe dingen te vertellen. Ik heb geprobeerd de dingen in mijn brieven niet zo somber te schetsen als ze zijn, 'mijn dapperste gezicht op te zetten', zoals ze dat noemen, in plaats van dat andere, dat afzichtelijk getekende gezicht dat me elke ochtend in de spiegel aangrijnst, maar misschien heb je al wel begrepen dat ik de laatste tijd behoorlijk met mijn rug tegen de muur heb gestaan, in een hoek gedreven. Mensen zouden graag zien dat ik op mijn rug ga liggen en voor dood speel, of misschien zelfs dat ik dood zou zíjn, in sommige gevallen. Ik voel me naakt, ingesloten en kwetsbaar. Maar tegelijkertijd loop ik over van het zelfvertrouwen. Ik laat het niet zomaar op me zitten. Ik onderneem stappen. De eerste stap is dat ik een draconisch regime van volstrekte spaarzaamheid ga instellen wat betreft mijn persoonlijke uitgaven. Met het oog daarop heb ik alle telefoondiensten laten afsluiten. Als je tevergeefs hebt geprobeerd me te bellen, dan is dat de reden. De volgende stap is dat ik uit dit pand trek en verhuis naar dat kleine, efficiënte optrekje aan Polk Street dat sowieso niemand lijkt te willen hebben. Dan doe ik dit huis in de verhuur. Om dat te kunnen doen, te kunnen verhuizen van een huis met acht kamers naar een studioflatje, zal ik een hele berg spullen de deur uit moeten doen, waaronder veel spullen van jou. Dus als er dingen zijn waaraan je nog gehecht bent, zul je me daar meteen een lijst van moeten sturen. Op het moment dat ik tegen mezelf zei: Andy, je moet weg uit dit huis, had ik het gevoel dat er een enorme last van me af viel. De uitdrukking luidt dat de last van je schouders valt, maar de laatste tijd voelde ik het eerder als een gigantische druk op mijn hoofd. Ik gebruik een tandenstoker om mijn sigaretten mee vast te houden, zodat ik ze helemaal tot aan mijn lippen op kan roken. Volgens mijn berekeningen betekent dat dat ik per dag vier sigaretten minder rook, waarmee ik elke vijf dagen een pakje uitspaar, zes pakjes per maand enzovoort. Hetzelfde verhaal met worteltjes. Ik bedoel: je hoeft die kleine, groene stukjes er niet per se af te snijden.

Tijdens het graven in de spullen in de kelder, ben ik een hoop spinnen tegengekomen, zoals je je waarschijnlijk goed voor kunt stellen. Ik heb een houten lepel meegenomen uit de keuken, en die gebruik ik om de webben uit de weg te duwen. Ik probeer dat te doen zonder de spinnen pijn te doen, en meestal maken ze zich ongedeerd uit de voeten, maar soms gaat het mis. Als ze maar niet zo'n week lichaam hadden en zo kwetsbaar waren. Het zou makkelijker zijn ze weg te vegen als ze een soort pantser hadden. Als een spin doodgaat, krult die zich op, trekt zijn pootjes onder zich en verschrompelt. Hij lijkt echt kleiner te worden, alsof de lucht eruit loopt. Daarom wil ik ze niet doodmaken, want ik vind het afgrijselijk om ze dat te zien doen. Al is hun beet vaak pijnlijk, en als je ze vergroot ziet, zul je merken dat ze afschuwelijke gezichtjes hebben.

In de kelder, vervlochten met de spinnen, staan ook de spullen die we uit mama's huis hebben gehaald. Ik begrijp niet waarom we dachten dat ze daar waarschijnlijk óóit nog iets van terug zou willen hebben. We verzamelen een hele hoop spullen, schatten en aandenkens en zogenaamd nuttige dingen, en dan komt de volgende generatie en die ziet dat het een berg rommel is. Toen ik die zo lukraak op de keldervloer zag liggen, moest ik wel denken aan het verstrijken van de tijd, de glorieuze wegen die naar het graf leiden et cetera. Terwijl ik daar stond, met die lepel in mijn ene hand en mama's jaarboek van de universiteit in de andere, klonk het woord 'detritus' in mijn hoofd als een bel, hij luidde als de doodsklok op een begrafenis, zoals ze vroeger zeiden, vroeger konden zeggen zonder meteen in de lach te schieten. Het spijt me dat ik zo doordraaf, maar het regent hier al drie dagen aan een stuk door.

Tussen mama's spullen vond ik ook een zilver-met-ivoren broche die misschien wel wat waard is, en mijn eerste gedachte was: dit moet ik aan Jolie laten zien. Ik mis je, nu je er niet meer bent om tegenaan te praten. Ik mis zelfs zoals je je handen tegen je oren drukte als je vond dat ik te lang doorratelde. Raar, zoals de meest irritante gewoontes van de mensen van wie we houden schattig gaan lijken als ze weg zijn, als zij, die mensen, weg zijn. Ik denk daarbij ook aan papa's gewoonte om kleine stukjes wc-papier op de badkamerspiegel te plakken. Ik heb nooit begrepen waarom. Of zoals jij altijd heel vlug met je ogen knipperde als ik je iets probeerde uit te leggen.

Ik ben twee volle dagen bezig geweest met alle troep en rotzooi uit de kelder te sjouwen. Heb het allemaal naar boven gesleept en in de eetkamer gezet, die ik toch nooit gebruik: de grasmaaier, waarop een dikke melange van olie en vuil zit; vier soorten scheppen (voor sneeuw, vuil, as en, neem ik aan, bloembollen), alle vier verroest; twee accu's waar blauwe toefjes mos uit de polen kwamen; twee ladders, waarvan eentje met drie kapotte sporten (wat dachten we daar ooit nog aan te hebben?); verscheidene kapotte stoelen; de enorme, oude Philcoradio van papa, waarop alle knoppen ontbraken; bijl, pikhouweel, schoffel, sneeuwbanden (lek), stormramen (twee met een barst erin), een plunjezak boordevol met papa's oude leren schoenen (stijf als planken), een grote, dure schildersezel (weet je nog?), een schoenendoos vol met mama's roze, plastic haarrollers als een nest kleine, roze egeltjes; een doos met haar bevlekte, vleeskleurige jarretels (wat verschrikkelijk!), een doos koperen gordijnroedes (voor welke ramen? In wiens huis?), jouw fiets, een zwarte aardewerken paraplubak, een Amerikaanse vlag. Ik was bijna klaar, was bezig een isolatierol onder de treden van de keldertrap uit te trekken, toen ik een schubbig ding zag liggen. Het zag eruit als een stoffige karper. Er zat zo'n dikke laag stof op, dat ik er een tijdje met grote ogen naar moest staren, voor ik het herkende als een van Sokals slangenleren laarzen. De andere heb ik ook gevonden, een eindje verder onder de trap. En al deze spullen zijn nog maar een fractie van het geheel. Je kunt niet eens meer zijwaarts de eetkamer in. Ik heb de laatste dingen met brute kracht naar binnen moeten duwen en de rest op de gang moeten zetten. Wat handig uit zal komen als ik de zooi op straat moet zetten. Ik hoef alleen de deur maar open te doen en er een ruk aan te geven. Als het tenminste ooit ophoudt met regenen.

De huurders in de duplexappartementen, die ik twee weken geleden eindelijk heb weten te verhuren, zijn naar de gemeente gestapt over het dak, dus daar moest ik een dakdekker heen sturen. Hij beweert dat niet alleen de dakpannen vervangen moeten worden, maar dat het beschot eronder ook rot is. Hij weigert aan het werk te gaan, tenzij ik vooraf betaal, en nu heeft de gemeente me gedwongen het hele pand van de markt te halen tot het gerepareerd is, zelfs het gedeelte waar het niet lekt.

Liefs,
Andy

༫

De man staarde naar het meisje, alsof hij door een of andere herinnering in verwarring werd gebracht. Vervolgens draaide hij zich op zijn hakken om en verdween de bouwval in, want dat was het. Het meisje, dat Florence heette, staarde hem een hele tijd na. Ze zag dat het gras in de voortuin gemaaid moest worden, en dat hield ze in gedachten terwijl ze wegfietste, want het was bijna etenstijd en ze moest nog eieren kopen. Hoewel ze uit een gezin van kleine boeren kwam, hielden ze geen kippen. Of ze hielden wel kippen, maar die waren getroffen door een ziekte. Het overgebleven deel van de troep, want de meeste waren dood, dwaalde verdwaasd over het erf, terwijl ze klagelijk kakelden. Het was een desolaat schouwspel. Erover nadenken op de veranda, waar hij in een oude schommelstoel zat, had een bedroefde uitdrukking op haar vaders gezicht gebracht, die hij alleen wist af te schudden in aanwezigheid van zijn dochter, die hem voorlas uit de almanak. Daar had ze de laatste tijd nog maar weinig tijd voor, aangezien zij ook de koeien moest melken, moest ploegen en oogsten, om van het verzorgen van de zieke kippen nog maar te zwijgen. Haar vader zat in een rolstoel sinds hij was getroffen door een automobilist die na de aanrijding was doorgereden, toen hij de weg overstak om de post te halen, waaronder zijn geliefde almanak; die zich als een waaier naast hem op het trottoir verspreidde. Zijn zondoorstoofde gezicht was nog steeds markant, zij het breekbaar, want hij schoor zich vaak niet. En voor ze oogstte, zaaide ze. Tarwe, gerst en andere granen, waarschijnlijk. Ondertussen ging de man op een bed zitten, op een kale matras waar veren uit staken en vlekken op zaten van generaties vreemden. Hij probeerde nergens aan te denken, want zover was het met hem gekomen, daarvoor was hij naar deze desolate plek gegaan. Het was het geliefde huis uit zijn jeugd, voor zijn ouders het gezin, door hun verlangen naar moderne apparatuur, hadden laten wegrukken. Het waren kleine boeren geweest. Amish, waarschijnlijk, en ze gingen niet om met het gezin in de grote boerderij verderop waar Florence die gedenkwaardige ochtend op haar fiets vandaan was gereden. Er was al meer dan tachtig jaar kwaad bloed tussen die twee families, hoewel noch Florence noch die man, die Adrian heette, of Adam, zich daar bewust van was. Maar Florence' vader was – hij was een harde, bittere, verbeten man – net als Adams moeder, die, hoewel ze ooit prachtig was geweest, nu een halfvergeten figuur was in een verpleeghuis in Burbank, Californië, een streng grijs haar vallend over haar nog jeugdige gelaatstrekken. Als meisje had ze wijd en zijd bekendgestaan om haar vurige temperament en haar warrige

49

haar, wat de meeste aanbidders had afgeschrikt, maar niet die hitsige jonge Hellion die Adams vader zou worden. Hij was er de man niet naar om achter een ploeg te lopen of om 's winters met een grote handzaag ijs uit het meer te hakken. Met stro bedekt in de kelder smolt het ijs heel langzaam, maar in juli dronken ze toch warme frisdrank, als ze zich die konden veroorloven, en anders warm, ongezuiverd rivierwater. Tot een zekere verzengende dag in augustus, toen Adams vader wankelend van de velden kwam lopen. Zijn jonge vrouw, haar gezicht rood aangelopen en parelend van het zweet, gaf hem een glas hete cola, zoals ze gewoon was. Hij nam een ferme teug en zijn hele lichaam kwam in opstand. Een gulp zoete, bruine vloeistof kletterde op de stapel schone kleren die zijn vrouw net van de waslijn had gehaald, nadat ze ze had gewassen in een klein riviertje achter het huis. 'Ga de koffers pakken,' mompelde hij, terwijl hij zijn kin met zijn hand afveegde. En vervolgens had hij zijn vrouw en zoontje meegenomen naar het zuiden van Californië, en was de oude boerderij voor Adam, toen hij opgroeide, niet meer geweest dan een zwartwitfoto aan de muur van een prettige woonkamer in Glendale, waar het raam een granaatappelboom omlijstte. En nu hij hier zat, in dit vreemde maar bekende landschap dat op een dag ingesneeuwd zou zijn en waar 'granaatappel' alleen bestond als woord in het woordenboek, op een bevuilde matras, probeerde hij aan niets te denken, zoals hij gezworen had te doen. Maar de gestalte van dat meisje met ravenzwart haar drong zich aan zijn verwonde psyche op als een mot die met zijn vleugels tegen het licht van een uitdovend peertje sloeg.

§

Beste Marvin,

Hoe graag ik de blunder ook recht zou zetten, ik kan je gedichten echt niet opnieuw laten afdrukken in het volgende nummer. Ze waren in zeker de helft van alle exemplaren, met een beetje moeite, leesbaar, en de mensen die die exemplaren hebben ontvangen en die hun best hebben gedaan ze de eerste keer te ontcijferen, zullen ze zeker niet weer willen aantreffen als ze het volgende nummer openslaan. Stuur me iets anders, en als het wat is, druk ik dat af.

Alle goeds,
Andrew

¶

Beste juffrouw Moss,

U kunt ervan verzekerd zijn dat ik, toen ik suggereerde dat u uw gedichten naar *American Pony* zou moeten sturen, dat niet als een 'neerbuigende belediging' bedoelde. Ik vond, en vind nog steeds, dat dat voor u een goede plek zou zijn om te beginnen. Het betekent niet dat u 'stomme gedichten' schrijft. Ik heb al eerder geschreven wat ik van uw werk vind; en als ik dat opschreef, dan meende ik dat ook. Het is niet mijn gewoonte beleefd te zijn. Het spijt me te horen dat uw ouders zo weinig sympathiek tegenover uw aspiraties staan. Ik heb onder vergelijkbare misverstanden geleden toen ik jong was, vooral van mijn vader die honden fokte en vond dat ik dierenarts moest worden, maar het was niets vergeleken met wat u beschrijft, en het is natuurlijk altijd makkelijker voor een jongen. U hebt geluk dat u de steun hebt van iemand als meneer Caldwell – misschien kan hij iets voor u doen. Wat mij betreft: ik kan u echt geen advies bieden omtrent de vraag of u 'hem moet smeren' en, nee, ik weet niet waar u in San Francisco onderdak kunt vinden. Ik hoop dat u begrijpt dat dit absoluut buiten mijn macht ligt. Wat uw verlangen betreft mij meer van uw werk te sturen, zelfs als het niet wordt gepubliceerd, dat kan ik onder de gegeven omstandigheden nauwelijks weigeren. U moet echter wel in gedachten houden dat ik een heel drukbezet man ben, een man die voortdurend wordt lastiggevallen zelfs, en dat ik op het moment verwikkeld ben in allerlei uiterst onplezierige financiele beslommeringen en bovendien bezig ben te verhuizen uit mijn huidige onderkomen. Daar word ik eigenlijk uit verdreven, door een opeenstapeling van spullen. Dus ik kan u niet meer beloven dan een paar snelle aantekeningen in de kantlijn, gewoon wat er in mijn hoofd opkomt terwijl ik uw werk vluchtig doorlees. Sluit u alstublieft wel een gefrankeerde retourenvelop bij.

Hoogachtend,
Andrew Whittaker

❧

Lieve Jolie,

Het is drie uur 's nachts. Ik ben eerder vanavond in slaap gevallen, maar rond middernacht ontwaakt en sindsdien ben ik wakker. Ik ben niet eens moe. Ik lijk de laatste tijd met heel weinig slaap toe te kunnen. Ik heb erover gedacht een eindje te gaan wandelen, maar ik ben bang dat het gaat regenen, dus zal ik je maar vertellen over iets wat ik in de kelder heb ontdekt. Herinner je je die stapel fotoalbums nog die we uit mama's huis hierheen hebben versleept? Het zou me niet verbazen als dat niet zo was. We kwamen destijds om in het werk en gingen zo op in onze ruzies en we waren zo kwaad, eigenlijk, op mama om hoe ze zich gedroeg, dat we niet veel meer hebben gedaan dan een paar bladzijden doorbladeren voor we ze in de kelder opsloegen bij de rest van de rommel. Ik was ze zelf ook totaal vergeten. Maar vorige week zat ik opeens op een van die blauwe, plastic melkkratten, met mijn rug tegen het warme metaal van de vaagjes vibrerende droger, met de albums opengeslagen op de vloer aan mijn voeten. Het ritmische geklak van de droger – ik had mijn geruite overhemd gewassen, die ene met die rits – vermengde zich met de neerkletterende regen en de geur van schimmel in de kelder, wat samen de perfecte ambiance schiep voor een reis naar het verleden. Ik nam de albums pagina voor pagina door. Wat me om te beginnen opviel, was dat mama de foto's had ingeplakt zonder rekening te houden met de volgorde. Een foto van papa toen hij vijftig was, werd gevolgd door eentje van Peggy op haar tweede. Ze bewaarde ze vroeger allemaal in een kartonnen doos achter in haar kast in de slaapkamer, en op kerstavond sleepte ze die er altijd uit en gooide ze de foto's op een hoop op het kleed in de woonkamer. We zaten er dan met z'n allen in te graven en maakten er soms ruzie om. Dat is lang geleden. Ik denk dat ze, toen ze die albums kocht – dat moet zijn geweest nadat ze zegeltjes ging sparen, rond de tijd dat ze (zoals ze het zelf graag uitdrukte) die goedkope aluminium pannen 'verdiende' die ze aan ons gaf – die foto's gewoon lukraak heeft ingeplakt, zoals ze ze in handen kreeg.

Ik denk dat we door die willekeur, toen we destijds door de albums bladerden, het vreemde feit over het hoofd hebben gezien dat ik je nu ga vertellen. Ik wist het zelf ook niet zeker, tot ik alle foto's uit de albums haalde en ze op de grond uitspreidde. Ik heb er daarvoor wel een behoorlijk aantal ernstig moeten beschadigen.

Weet je nog dat ik altijd klaagde dat ik praktisch geen herinneringen aan mijn jeugd had, tenminste, niet vergeleken met wat andere mensen allemaal in een mum van tijd lijken te kunnen oplepelen? Jij kunt bijvoorbeeld urenlang doorzagen over triviale dingen als het jurkje met ruches dat je naar het verjaardagspartijtje van een vriendinnetje droeg toen jij zes was en zij zeven, terwijl ik, als bewijs van mijn bestaan in het verleden, niet meer dan een paar saaie en armoedige beelden in mijn hoofd heb, als kiekjes, statisch en zonder enig verband met iets wat eraan voorafging of erna kwam, ongedateerd en daardoor bijna betekenisloos. Als mensen op de universiteit herinneringen zaten uit te wisselen, was ik gedwongen dingen te verzinnen.

Op sommige foto's stond achterop een aantekening, bv. 'Peg

en papa bij Deer Lake', 'Andy en Peg eten watermeloen', maar er stond zelden een datum bij. Dus toen ik eenmaal een stuk vloer in de woonkamer vrij had gemaakt en me eindelijk kon wijden aan de klus de foto's in een voorlopige volgorde te leggen, moest ik bijna volledig afgaan op het bewijs dat de foto's zelf leverden: de geleidelijk toenemende lengte van Peg en mij, het gestaag rimpelen en vergelen van de huid van mijn ouders, het onvermijdelijk uitdijen van hun tailles, het opduiken en verdwijnen van verscheidene honden en katten, het langzaam dunnen van papa's haar en de in toenemende mate vergeefse manieren waarop hij het kamde om dat te verbergen, en uiteraard de progressie van bouwjaren van de auto's waarvoor we met deprimerende regelmaat poseerden. Het heeft me twee dagen van schikken en herschikken gekost – in de loop daarvan heb ik verschillende keren honderden foto's een fractie van een centimeter de ene of andere kant op moeten schuiven op de vloer om de ruimte verderop groot genoeg te maken om een nieuwe foto neer te leggen – voor ze eindelijk allemaal in een enorme spiraal lagen, met mij in een met kant afgezet wiegje in het midden en weer een andere foto van mij aan het eind, deze keer als norse tiener met ontbloot bovenlichaam op de bovenste tree van het trapje naar ons huis aan Laurel Avenue, met een net zichtbare dreigende frons tussen twee opgestoken middelvingers.

Er zijn foto's van mij toen ik klein was – met Peg of met dieren, op feestjes en met kerst – tot ergens in de derde klas van de lagere school. Op die foto's is een ernstig, niet-glimlachend kind te zien, serieus maar – dat voel je – niet bedroefd. Zijn haar is blond, of in elk geval niet bruin. En dan heb je nog foto's van mij als door acne geteisterde tiener, het haar verscheidene tinten donkerder (wellicht veroorzaakt door het overmatig aanbrengen van Vitalis en Brylcreem wat de onnatuurlijke glans suggereert) met een buitengewoon hoog opgetrokken broek die strak is ingesnoerd door een smalle riem. Ik wilde schrijven 'pijnlijk strak ingesnoerd', maar aangezien ik me niet daadwerkelijk kan herinneren hoe het voelde, zou dat louter giswerk zijn geweest. Geruite sokken die niet bij elkaar passen zijn duidelijk zichtbaar onder de opgetrokken broekspijpen, en ik draag bruine schoenen in een tijd waarin andere jongens *penny loafers* droegen. En op een foto sta ik in een slobberig badpak bij een of ander meer. Mijn magere benen zien eruit als bamboescheuten in een te grote bloempot, maar dan op z'n kop natuurlijk – de bloempot zou op z'n kop moeten staan, bedoel ik. En ik ben natuurlijk groter geworden, hoewel mijn hoofd het tempo op het eerste gezicht niet lijkt te hebben bijgehouden. Op die latere foto's zie ik er zonder uitzondering nors en verongelijkt uit. Misschien was ik destijds zo. Of misschien zie ik er alleen maar zo uit omdat ik niet graag op de foto ging. Als ik wist dat ik gefotografeerd werd, kon ik alleen met schaamte aan mijn uiterlijk denken, wat ik waarschijnlijk nog steeds zou doen als ik het gevoel had dat het mijn uiterlijk was, als ik de persoon op die foto's kon groeten als iets anders dan een vreemde. Met andere woorden: als ik me hem kon herínneren. Ik kijk naar die foto's en zeg tegen mezelf: 'Ja, dat ben ik.' Maar een warm gevoel van herkenning ervaar ik niet.

Tussen die twee groepen foto's gaapt een gat van, schat ik, zeven of acht jaar. Ik heb nog slechts een schamel handjevol herinneringen aan die tijd, en nu, nu al die kiekje voor me op de vloer liggen, heb ik ontdekt *dat er ook geen foto's van bestaan!* Waarom heeft, in die lange tussenperiode die zo belangrijk is in het leven van een kind, niemand de moeite genomen een foto van me te nemen? Er zijn talloze foto's van Peg uit diezelfde periode: Peg op het strand, Peg op haar pony. Het is toch niet meer dan redelijk dat ik op een paar daarvan naast haar zou moeten staan? Sterker, op sommige foto's lijkt ze aan de rand van het kader te staan, alsof ze ruimte voor mij vrijliet. Het lijkt wel alsof ik verdwenen ben, een leuk ventje, of in elk geval normaal, die een hele tijd verdween, om vervolgens weer te verschijnen als een extreem onaantrekkelijk, groot type. Ik zou Peg er wel over willen schrijven, alleen weet ik dat ze nooit zou reageren.

Pas vanavond, toen ik in bed lag en niet kon slapen, realiseerde ik me dat veel van mijn herinneringen niet alleen op kiekjes líjken, maar, in hun isolement en onbeweeglijkheid, herinneringen van kiekjes zijn, of déze kiekjes, die ik als volwassene talloze keren moet hebben gezien bij mama thuis, elk jaar met kerst, eigenlijk. Afgezien daarvan heb ik bijna niks.

Je ansichtkaart werd vanmiddag bezorgd. Ik had gehoopt dat je meer begrip zou tonen over het geld. Twee maanden zal niet genoeg zijn, hoewel het wel helpt. Aangenomen dat ik dit huis en de andere twee leegstaande appartementen kan verhuren, zal ik heel misschien in de gelegenheid zijn je volgende maand iets meer te sturen. Maar feit is dat ze er vreselijk aan toe zijn en ik heb het geld niet om ze op te knappen. Ik weet dat New York duur is, maar niemand heeft je gevraagd erheen te verhuizen. Ik rij ook de hele stad door naar de nieuwe Safeway, wat me kostbare uren kost die ik aan andere dingen zou kunnen besteden, om een paar centen te besparen. Daar zou je, de volgende keer dat je in Manhattan in een taxi springt, weleens bij stil kunnen staan.

Liefs,
Andrew

⸙

aardappels (veel)
blikken (chili, soep, bonen)
leverworst
marg.
rijnwijn
peuken
cakejes
misschien biefstuk of vlees
karbonaadjes
schoensmeer
tonijn

sardientjes
kaasknabbels
ingevroren friet – kortingsbon
lunchspul
brood
cornflakes
toiletpapier (veel)
slagroom
gloeilampen
postwissel
stop
wodka
oordopjes

§

Beste Harold,

Natuurlijk weet ik nog wie je bent. Ik vind het interessant dat
je de landbouw in bent gegaan. Ik voel me zelf sterk met het
land verbonden zelfs als ik in exil leef in de stad, wat een
noodzaak is, gezien de voordelen voor iemand die altijd contact moet houden met het publiek, zichtbaar moet zijn, zoals
ze dat noemen, of in de kont ervan moet kruipen, wat soms
ook het geval is. Wat de machinerie en dergelijke betreft: dat
kan ik niet beoordelen. Dus je bent uiteindelijk inderdaad
tóch met Mary getrouwd? Wat hebben wij om haar gewed-
ijverd! Moge de beste man winnen, zoals ze dat noemen, en ik
weet zeker dat dat ook is gebeurd. Jolie en ik zijn twee jaar
geleden uit elkaar gegaan. Ik heb het huis gehouden, een vic-
toriaanse blokkendoos die veel te groot voor me is en die ik
met geen mogelijkheid ook maar een beetje aan kant weet te
houden. Ik ben verscheidene uren per dag bezig met schoonmaken, en een paar dagen later ben ik weer terug bij af. Het is
soms een behoorlijk eenzaam huis en ik heb erover gedacht
een hond te nemen, maar ik ben bang dat ik een bijtertje krijg.

Ik heb een kantoor aan huis, waar ik schrijf en redigeer, dus ik hoef niet vaak de deur uit. Wat me een van de grote voordelen van op het platteland wonen lijkt, is dat je geen buren hebt. Als je in de buurt bent, moet je uiteraard zeker langskomen, maar ik denk niet dat ik het met je 'op een zuipen' kan zetten. Ik heb een paar kleine gezondheidsprobleempjes. Niets ernstigs, maar ik moet wel een tikje voorzichtig zijn. En de mensen in kroegen zijn tegenwoordig zo afschuwelijk jong. Aangezien jij bij zonneschijn en regen buiten werkt, blaak je ongetwijfeld van gezondheid, en zie je er waarschijnlijk jonger uit dan je bent. Ik heb soms een raar geluid in mijn borst. We maken zo vroeg onze keuzes, en op basis van vrijwel geen informatie, en vervolgens hebben we totaal verschillende levens, waar we echt mee opgescheept zitten. Wat deprimerend allemaal. We laten ons inkapselen en vervolgens lijkt er geen uitweg meer. Ik denk dat ik me beter zou voelen als ik meer zou bewegen, maar ik wil niet met al te inspannende dingen beginnen. Je weet wel, vanwege dat geluid. Ik heb in wezen een zittend beroep. Heel saai. Laat het vooral weten als je deze kant op komt, want ik hou niet van verrassingen. Wat voor dingen verbouw je?

Andy

Augustus

Lieve mama,

Ik heb in je fotoalbums zitten bladeren, op zoek naar een paar mooie foto's voor je kamer. Wat zien die oude badpakken er nu grappig uit, hoewel je een behoorlijke stoot was! Papa is in mijn herinnering een kleinige, dikke man met een sigaar, en het is vreemd hem zo slank te zien, en met dat kleine snorretje, net de schurk in een oude film. Toen ik die foto's vluchtig langs zag komen, viel het me op dat er nauwelijks foto's van mij zijn van mijn zevende tot ongeveer mijn veertiende. Dat heeft me aan het denken gezet. Jij vertelde altijd dat papa zo teleurgesteld in me was, als kind, in een periode waarin de zoons van al zijn vrienden uitblonken. Volgens mij gebruikte je het woord 'gênant'. Kan het zijn dat hij daardoor – uit bedroefdheid, misschien – geen foto's van mij in huis wilde hebben? Ik kan me voorstellen dat hij ze misschien als een onprettige verdubbeling ervoer. Ik bedoel, je had mij en dan zou ik ook nog eens op de schoorsteenmantel staan of zo. Of misschien vreesde hij dat die foto's hem later pijnlijk aan mij zouden herinneren. Als dat je, net als mij, onwaarschijnlijk lijkt, misschien heb jij dan een andere verklaring. In dat geval zou ik die graag horen. Misschien kun je me een briefje sturen, aangezien ik komende maand niet langs kan komen rennen, zoals gepland.

Je liefhebbende zoon,
Andy

PS: Aan mevrouw Robinson:

Ik weet dat, als mama deze brief ontvangt, dat komt omdat u hem aan haar voorleest, waarvoor ik u duizendmaal dank. Ik weet hoe vergeetachtig ze is en hoe hatelijk soms, vooral als ze het gevoel heeft dat ze bekritiseerd wordt. Ik verwijt het haar niet dat ze al die jaren geen foto's van me heeft gemaakt. Die foto's kunnen me niet schelen; ik vraag me alleen af waarom ze er niet zijn. Ik bedoel, de meeste moeders maken gráág foto's. Ik hoop dat u, ondanks uw begrijpelijke problemen met mama, of misschien zelfs wel dankzij die problemen, bereid zult zijn me in deze kwestie te helpen. U zult een manier moeten vinden om mama erop aan te spreken als ze niet op haar qui-vive is. U zou bijvoorbeeld kunnen babbelen over uw eigen kinderen, als u die hebt, of anders bedenkt u er een paar, als het niet het geval is, en dan zou u op kunnen merken hoe moeilijk het is goede foto's van kinderen te nemen, gezien hun onstuimigheid. Op dat moment komt mama misschien zelf wel met wat informatie op de proppen. Ze zou bijvoorbeeld kunnen zeggen dat meisjes makkelijker te fotograferen zijn, en dat zou een belangrijke aanwijzing zijn. Ik laat de details over aan uw eigen oordeelkundig vermogen. Ik zou u heel dankbaar zijn als u me een paar regeltjes zou schrijven over uw mogelijke bevindingen. Het lijkt me niet meer dan eerlijk dat u het biljet van tien dollar aanvaart dat u met plakband aan de binnenkant van deze envelop geplakt zult vinden. Ik wilde niet dat het eruit zou vallen waar mama bij was, aangezien ze dan uiteraard had aangenomen dat het voor haar bestemd was.

Hoogachtend,
Andy Whittaker

¶

Beste inzender,

Dank u dat u ons de gelegenheid gaf uw werk te lezen. Na ampele overweging zijn we, tot onze spijt, tot de conclusie gekomen dat het op dit moment niet beantwoordt aan onze behoeften.

De redactie van *Soap*

¶

Beste juffrouw Moss,

Dank u voor de chocolaatjes, de foto's en de portefeuille. Hebt u die zelf gemaakt? En, uiteraard, voor de nieuwe gedichten en de envelop. Ik zal de gedichten bekijken zodra ik een uurtje over heb en ik ze mijn volledige aandacht kan geven. Het ontroert me dat u er, bij alles wat er aan de hand is, aan hebt gedacht me dit pakketje te sturen. En ik waardeer uw woorden van zorg over mijn situatie zeer. De financiële verwikkelingen die ik noemde, hebben echter helemaal niets te maken met verduistering of zaken van dien aard. Gewoon een boekhoudkundig misverstandje. En het feit dat ik gedwongen word te verhuizen, betekent niet dat ik 'op de vlucht' ben. Het spijt me dat ik u teleur moet stellen. Ik ben bang dat u uw 'schimmige sjacheraar' elders zult moeten zoeken. Ik ben, vrees ik, lang zo interessant niet.

En, het spijt me nogmaals, maar ik kan u echt van geen enkel advies dienen met betrekking tot uw thuissituatie. Voorts kunt u, aangezien u niet schrijft wat er in uw dagboek stond, niet van mij verwachten dat ik een oordeel uitspreek over het gedrag van uw ouders. Ik kan wel zeggen dat ik, in het algemeen gesproken, vind dat mensen andermans persoonlijke documenten niet zouden moeten lezen. Maar, dat gezegd hebbende, lijkt het feit dat u uw dagboek opengeslagen op de salontafel liet liggen me een aanwijzing dat u, om het cru te zeggen, op mot uit was. Wat God betreft, ik ben niet gewoon een agnosticus, ik ben een onverschilligus. De priesters, paters en vaders die ik ben tegengekomen, waren over het algemeen idioten en charlatans. Ik maak uit uw beschrijving van dominee Hanley op dat hij het allebei is. Ik bewonder uw vermogen een grappig verhaal te maken van wat een heel pijnlijke ondervraging moet zijn geweest. U moet in gedachten houden dat er buiten de plaats Rufus een hele wereld openligt. U moet ook in gedachten houden dat die er volgend jaar waarschijnlijk ook nog wel ligt.

Dank u voor de foto's. Ze verrasten me nogal. Ik had eerlijk gezegd, geen idee waarom precies, gerekend op een mottig typetje met puisten en grote, zwarte schoenen, niet op een aantrekkelijke jongedame in een tennisrokje. Geen wonder dat de eerwaarde dominee zijn handen niet van u af kan houden. Ik hoop niet dat u dat een ongevoelige opmerking vindt, en ik probeer zijn gedrag niet goed te praten, maar ik geloof in eerlijk zeggen wat ik voor me zie.

Hoogachtend,
Andy Whittaker

ſ

Beste Dahlberg,

Ik heb je laatste inzending afgewezen wegens gebrek aan kwaliteit, en het feit dat je Canadees bent heeft daar niets mee te maken. Maar als je je er prettiger bij voelt om dat te geloven, ga dan vooral je gang.

Met groet,
Andy

ſ

Lieve Peg,

Ik weet dat je niet graag iets hoort van mij en mama, maar ik moet je iets vragen. Ik zou het echt niet doen als het alleen mij aanging, maar er zijn ook andere mensen bij betrokken. *Home and Ranch Magazine* is van plan een betrekkelijk uitgebreid profiel van mij te publiceren onder de kop 'De opkomst van een schrijvende man' en ze willen jeugdfoto's van me hebben. Ze willen er ook eentje van jou, misschien wel meer. Ik heb al mama's fotoalbums doorgenomen en er staat niet één foto van mij in van tussen mijn zevende en mijn veertiende, en ik vroeg me af waarom. Er zijn er talloze van jou, papa en mama en zelfs van de huisdieren. Maar die zal het tijdschrift uiteraard niet opnemen, hoe fraai ze ook zijn, als ik er niet minstens twee of drie van mezelf kan overleggen. Er is duidelijk iemand alle albums doorgegaan om systematisch foto's van mij te verwijderen. Ik weet dat dat vergezocht klinkt en wie het ook gedaan heeft, is heel omzichtig en geduldig te werk gegaan, heeft andere foto's verschoven om lege plekken op te vullen. Ik wil niemand beschuldigen, maar ik zou niet weten wie het anders gedaan moet hebben. Ik doel op gelegenheid en motief. Als jij ze inderdaad hebt meegenomen, per ongeluk misschien, en ze niet volledig hebt vernietigd door ze te versnipperen of door de wc te spoelen, dan kun je me er misschien een handjevol terugbezorgen.

Je broer,
Andy

§

AAN ALLE HUURDERS!

ALS U DE SLEUTEL VAN UW POSTBUS KWIJT BENT GERAAKT, NEEM DAN CONTACT OP MET PHELPS VAN 1A. ZIJ HEEFT EEN LOPER EN ZAL UW POST VOOR U OPHALEN. PROBEER DE KLUISJES NIET OPEN TE WRIKKEN!

§

Beste meneer Fontini,

Ik heb uw bericht ontvangen. Ik heb er terdege bij stilgestaan. Ik kan u verzekeren dat het niet plausibel is het probleem in de afvoerbuizen te zoeken. Er is niets mis met de afvoerbuizen. Niet alleen heeft Sewell niets kunnen vinden, ik heb ze na het laatste incident persoonlijk centimeter voor centimeter nagelopen met een meetlat en een krompasser. De overlooppijp van het bad voldoet aan de standaardafmetingen. Als u mij of Sewell (die per slot van rekening een erkend loodgieter is) niet vertrouwt, mag u gerust een inspecteur van de gemeente bellen, aangenomen dat u hem zover krijgt dat hij naar u toe komt, wat ik betwijfel als hij beide kanten van het verhaal heeft gehoord. 'Als het niet aan de leidingen ligt,' zult u zeggen, 'waarom is het plafond dan op mijn avondeten gevallen? En niet één maar twee keer?' De verklaring ligt, denk ik, voor de hand. Je zou zelfs kunnen zeggen dat hij nog dichterbij ligt. Ik denk dat u er goed aan zou doen eens nauwgezet op uw vrouw te letten als ze een bad neemt. Als u dat doet, zult u het volgende zien gebeuren.

1. Mevrouw Fontini zet de kraan open en laat het bad vollopen terwijl ze zich uitkleedt, naar shampoo zoekt, die misschien niet direct vindt, naar de linnenkast loopt om een schone handdoek te pakken, etc.

2. Terwijl ze daarmee doende is, stijgt het water in de badkuip tot het niveau van de overlooppijp waar het overvloedige water doorheen borrelt, waar ze niet mee zit, aangezien ze weet dat er een grote elektrische boiler in de kelder staat.

3. Als ze in het bad stapt, ziet ze haar eigen niet onaanzienlijke massa over het hoofd alsmede de bevindingen van Archimedes, die ontdekte dat met elke kubieke centimeter van mevrouw Fontini die onder water komt, een even groot aantal kubieke centimeters van voornoemd water naar de rand van de badkuip zal stijgen.

4. Ze heeft ofwel nooit geweten of ze is vergeten dat de overlooppijp alleen is ontworpen om de geleidelijke stijging van het waterpeil te ondervangen die wordt veroorzaakt door een openstaande kraan en dat hij nooit is bedoeld voor plotselinge golfslagen. Misschien zijn haar armen, hoewel ze groot zijn en stevig tegen de zijkant van de badkuip gedrukt, gewoon niet berekend op de taak haar massa geleidelijk in het water te laten zakken, en laat ze zich daarom maar gewoon vallen.

Het cumulatieve effect van de stappen 1 tot en met 4 is een vloedgolf die over de schamele oeverwal van het bad slaat en

zorgt dat er emmers warm badwater over de vloer van de badkamer stromen. Van daaraf vindt het water, onder invloed van de
zwaartekracht, zijn weg tussen de tegels naar het beschot van het
plafond van de keuken. Op dat moment wordt de neerwaartse
beweging van het water niet gestopt maar slechts geremd, terwijl het beschot steeds zachter wordt, tot het uiteindelijk zo
zacht is dat het plotseling op uw avondmaaltijd tuimelt. Ik wil
geen tweespalt tussen man en vrouw veroorzaken, maar tenzij u
gefactureerd wilt worden voor het regelmatig vervangen van het
keukenplafond, stel ik voor dat mevrouw Fontini zich bekeert
tot het douchen, of dat u, als ze echt per se een bad wil nemen en
niet in staat of niet bereid is zich op een normaal tempo in het
water te laten zakken, een of ander neerlaatmechaniek voor haar
bouwt, wellicht een takel met touwen en katrollen. Ik wens u
hierbij alle succes, maar slaat u alstublieft geen spijkers in de
muren. Ondertussen dient u de Whittaker Company $317 dol-
lar terug te betalen voor reparaties aan uw plafond.

Hoogachtend,
De huisbaas

§

Wat betekent het toch dat ik zo begaafd ben in het schrijven
van onaangename brieven? Zegt dat iets over mijn karakter,
dat ik misschien niet zo aardig ben? Of betekent het misschien
alleen maar dat andere mensen niet aardig zijn? Ik vond het
ooit lastig om bedankbriefjes te schrijven als mensen me cadeautjes stuurden; die klonken altijd volstrekt onoprecht. En
het hielp helemaal niet dat ik die cadeautjes soms echt leuk
vond. Als ik soms tegen Jolie zei dat ik van haar hield, ging het
net zo. Ik hoorde zelf dat ik klonk als een vreselijke aansteller
en leugenaar, hoewel ik toch echt van haar hield. Dat is denk
ik voor een deel de reden dat ik later zo afschuwelijk tegen
haar deed. Nu schrijf ik mensen die ik nauwelijks ken, en de
brieven sprankelen gewoon, vooral als ik daardoor op een

hatelijke manier onaangenaam kan zijn tegenover mensen die er eigenlijk niets aan kunnen doen. Misschien had Baudelaire wel gelijk en is de milt echt het creatieve orgaan.

§

Beste mevrouw Lipsocket,

U stuurt me nu al vier jaar met enige regelmaat uw gedichten toe. De eerste drie jaar deed ik mijn best ze van commentaar te voorzien. Ik troostte u met platitudes, terwijl ik u in bedekte termen adviseerde ermee op te houden. En toch hebt u, tegen de stroom in, doorgezet. U hebt me meelijwekkende brieven geschreven. U hebt mijn hart verscheurd met beschrijvingen van uw literaire worstelingen, die mijn medeleven opwekten; uw enorme ambities, die zo vergelijkbaar zijn met de mijne; uw problemen met uw eierstokken, de hartvochtigheid van de commissie van uw bibliotheek en het gelanterfant van uw echtgenoot, van wie ik niet het gevoel had dat ik er iets aan kon doen. U bent de oorzaak geweest van onderbroken nachten waarin ik droom dat ik kleine dieren sla. Met het oog op al die zaken, geef ik me over. Ik heb geen kopieën van uw eerdere inzendingen bewaard, en uw huidige werk lijkt me slechter dan ooit, dus ik laat het aan u over: zoek zes willekeurige regels uit, en ik zal ze afdrukken. Daarna zal ik geen enkele envelop van u meer openmaken.

Hoogachtend,
Andy Whittaker

§

Mijne heren,

In de krant las ik over het project 'Buren helpen buren' van het Fellowship Christian Tabernacle. Ik werd getroffen door uw inspanningen en het enorme geldbedrag dat u bij elkaar hebt gekregen – al die verkochte koekjes, loterijen en autowasbeurten. Ik was met name onder de indruk van de tweeënhalve ton aan aluminium blikjes. Ik ben geen lid van uw kerk, of van welke kerk dan ook, maar uit het artikel begreep ik dat u me desondanks als een buurman beschouwt. Ik waardeer dat sentiment, en mocht ik ooit wel ter kerke gaan – wat in de toekomst best mogelijk is – dan zou ik zeker voor uw etablissement kiezen. Ik ben weduwnaar en woon alleen. Ik ben niet oud, maar mijn gezondheid is verre van perfect. Ik heb een geruis in mijn borst. De zorg en schoonmaak van mijn huis zijn steeds belastender en moeilijker voor me, vooral het aanpakken van stofnesten waarvan ik nu zie dat ze overal onder zitten, vooral onder bedden en banken. Als ik me buk, merk ik dat het geruis heviger wordt en door mijn ademhaling schieten de stofpluimen weg en wordt het lastiger ze te pakken te krijgen. Het huis is oud en staat vol porseleinen prullaria – schatten van wijlen mijn vrouw – die opgepakt, afgestoft en weer teruggezet moeten worden, wat uren in beslag neemt en moeilijk is voor iemand wiens handen de neiging hebben te trillen. Ik zou ontroostbaar zijn als ik er eentje liet vallen. Ik weet zeker dat ik Claudine me dan een standje zou horen geven, wat ze altijd gewoon was te doen, en dat zou ik nu niet kunnen verdragen. Ik heb alle benodigdheden, behalve een wisser om de ramen mee te lappen. Mijn vrouw gebruikte daar altijd een prop krantenpapier en azijn voor, wat ik nooit een goed idee heb gevonden, aangezien er dan altijd zwarte strepen achterbleven, hoewel ze dat ontkende. Mijn telefoonlijn is onbetrouwbaar geworden door het onderhoudswerk dat ze in de straat doen. Ik ben bijna altijd thuis, dus als u vindt dat ik een 'goed doel' ben, zou u iemand langs kunnen sturen.

Uw buurman,
Andrew Whittaker

§

Beste Harold,

Dank voor je brief, die buitengewoon vriendelijk was. Ik zou ook graag regelmatig corresponderen. Je moet tussen de regels van mijn brief door hebben gelezen dat het echt niet goed met me gaat. Het is niet alleen mijn borst; ik merk dat het huis waarin ik nu woon me erg benauwt, vooral als het regent, wat het al dagen praktisch non-stop doet, vooral als het niet aan kant is en overvol staat, wat onvermijdelijk het geval is, om redenen waar ik de vinger niet achter kan krijgen, omdat ik voortdurend bezig schijn te zijn met schoonmaken. Het is niet zozeer de regen zelf als wel de stilte die die regen met zich meebrengt, zoals het geluid van regen op het dak en tegen de ramen de stilte in het huis des te opvallender maakt, misschien omdat het de zachte geluiden overstemt die ik verder maak. Het gepat van blote voeten op de vloer, het gekras van een pen, het bij tussenpozen zachtjes schrapen van mijn keel. Dan denk ik aan jou en je werk buitenshuis met planten en dieren, en dan ben ik vreselijk jaloers op je. Ik ga op mijn rug op de grond liggen, speur het plafond af op zoek naar lekkage-plekken en denk aan hoe jij op je tractor over de voren stui-tert. Ik neem aan dat het daar bij jou vaak zonnig is. Ik ben de laatste tijd bezig met een nieuw verhaal dat speelt op het plat-teland van Wisconsin (waar ik in feite nooit ben geweest), en het zou fantastisch zijn als jij zo nu en dan een paar technische vragen zou kunnen beantwoorden. Misschien zou ik zelfs een keer een kort bezoek aan je kunnen brengen, om het boeren-leven op te snuiven. Je gezin klinkt geweldig en ik ben erg dol op dieren, vooral op babyezeltjes.

Ik heb besloten naar een kleiner appartement te verhuizen, waar minder plek zal zijn voor spoken, en ik ben bezig ge-weest met dingen in dozen te pakken. Er staat een hele muur van dozen in de woonkamer. Ik kan nauwelijks nog uit de ramen voor kijken. 's Avonds, als het licht door de beregende ramen de randen van de dozen minder scherp maakt, zien ze eruit als zandzakken, en dan krijg ik het prettige gevoel dat ik in een fort zit. Ik heb de eetkamer afgesloten, aangezien die boordevol spullen staat die ik uit de kelder naar boven heb gesleept, en de hal staat ook bijna vol. Het huis heeft nu iets ingeslotens. Gefortificeerd of ingesloten – het is tegenwoordig moeilijk te bepalen wat je voelt. Het inpakken van de boeken ging helemaal langzaam, omdat ik steeds boeken tegenkwam waarvan ik was vergeten dat ik ze had, en dan zit ik ze uiteindelijk op de vloer te lezen, terwijl mijn zachte ademhaling en het zo nu en dan schrapen van een opgeslagen pagina, zoals ik al schreef, wordt overstemd door het gestaag stromen van de regen.

Tussen die vergeten boeken kwam ik een enorme zoogdierenencyclopedie tegen die Jolie jaren geleden gekocht moet hebben, toen ze dacht dat ze kinderverhalen kon schrijven met dieren erin, met dieren in die verhalen. Of misschien is ie wel van mijn vader geweest, die dol was op dieren, vooral op honden. Mijn moeder, die nog leeft, zegt dat hij altijd dierenarts had willen worden en dat hij teleurgesteld was toen ik besloot Engels te gaan studeren, hoewel ik me niet kan herinneren dat hij daar ooit iets over tegen mij heeft gezegd. Op het moment lijkt het drukbezette leven van een dierenarts me behoorlijk interessant en aanlokkelijk, iets wat ik had kunnen nastreven als het in me was opgekomen.

Ik heb dat boek volgens mij nooit eerder ingekeken. Je kunt je nauwelijks voorstellen hoeveel dieren er zijn waarvan geen mens ooit heeft gehoord – wezelmaki's, kielnagelgalago's, wrattenzwijnen, oriëntaalse stekelratten, gestreepte grasmuizen, goudstuitslurfhondjes en gordelmollen, om maar een paar willekeurige voorbeelden te noemen. Wat een geweldige namen – het is duidelijk dat er tussen die types die met pothelmen op door de jungle kropen in elk geval een paar krankzinnige dichters zaten. En wat weet jij van de ai? Vrijwel niets, vermoed ik. Dus het zal je verbazen als ik je vertel dat die drie vingers heeft. Om de een of andere reden haalden vroege biologen vaak vingers en tenen door elkaar. Dat komt mij vreemd voor; haal jij die ooit door elkaar? Zou dat misschien komen doordat ze vaak handschoenen droegen, die biologen bedoel ik, die droegen destijds vaak handschoenen. Alle luiaards hebben drie tenen. Wat hun vingers betreft, sommige hebben er twee en andere drie. De ai (*Bradypus torquatus*) heeft er drie van elk, dat wil zeggen: zes aan elk uiteinde, gelijkelijk verdeeld. Hij beweegt zo langzaam en hangt (letterlijk) op zulke vochtige, bladrijke plekken rond dat er mos op zijn vacht groeit. Wat bij mij ook is gebeurd tijdens de huidige moesson, lijkt het. Overal zit schimmel op, en ik voel me op sommige plekken ook behoorlijk mossig. Wat gebrek aan beweging betreft, volgens mij heb ik in de afgelopen twee dagen niet meer dan driehonderd meter afgelegd. Waar zou ik heen moeten, nu de regen neerkomt alsof Noachs zondvloed aanstaande is? De luiaard is, denk ik, het enige groene zoogdier. Eigenlijk is dat vreemd, als je erover na gaat denken, gezien hoeveel groene wezens er verder zijn, sprinkhanen en kikkers, bijvoorbeeld. Er wordt gedacht dat zijn groene kleur hem helpt bij het zich verbergen voor roofdieren; voor jaguars, denk ik, die waarschijnlijk denken dat hij een hoop bladeren is. Er wordt verder beweerd dat dat vindingrijke dier kolonies 'kakkerlakachtige motten' in zijn groene vacht fokt, hoewel het boek niet vermeldt wat de nuttige toepassing daarvan zou kunnen zijn. Het geeft ook geen helder beeld van die kleine wezentjes – ik kan me geen minder kakkerlakachtig wezen voorstellen dan een mot. Persoonlijk heb ik die, zelfs in mijn ergste neerslaggerelateerde eenzaamheid, niet gefokt, hoewel er een paar nachten geleden wel iets afgrijselijks rondkroop in mijn pyjama. Ik had het licht uitgedaan en was net op bed gaan liggen. Ik begin de nacht altijd op mijn rug, omdat dat een yogisch principe is, en de laatste tijd ook vanwege dat geruis in mijn borst, dat in die houding minder hevig lijkt te worden, of misschien alleen maar minder goed hoorbaar vanwege het zachte kussen dat zich om mijn oren heen vouwt. Hoewel het beest er al vanaf mijn douchebeurt een uur daarvoor moet hebben gezeten, begon het pas te bewegen toen het ineens geplet zat tussen mijn rug en het matras. Het had, voelde ik aan de textuur van zijn wandeling, kleine ruggengraatjes langs de achterkant van zijn pootjes. Het was net alsof ik werd gestoken door rijen naalden. Ik sprong uiteraard op en trok het T-shirt met een ruk over mijn hoofd en van mijn lijf. Al doende gooide ik het beest per ongeluk door de kamer – het raakte de muur met een harde tik. Het was morsdood toen ik het de volgende ochtend vond; een grote, zwarte kever.

De afgelopen paar maanden heb ik maar één keer per dag ontlasting gehad, met de regelmaat van de klok. Ik vermeld dat omdat de ai eens per week schijt en pist – een opmerkelijke prestatie voor wat verder nogal een stom dier lijkt. Het doet het aan de voet van z'n boom. Hij eet bladeren en papaja's. Maar toen ik de foto's in mijn boek nauwkeurig bestudeerde, leek zijn kop me te klein voor zijn lijf, en niet alleen omdat het geen oren lijkt te hebben. Er lijkt hier een schending van de universele wetten der proporties aan de orde. Vreemd genoeg is dat iets wat ik ook weleens over mezelf heb gedacht, dat mijn hoofd kleiner lijkt dan normaal. Heb ik je dat nooit verteld? Ik ben niet de enige die die mening toegedaan is geweest. Op school noemden ze me kogeltjeskop. Mijn hoofd is in werkelijkheid niet extreem klein, of in elk geval maar iets kleiner dan normaal, wat ik heb geverifieerd aan de hand van statistieken van mijn huisarts. Is het in jouw herinnering kleiner dan de norm? Dat lijkt alleen maar zo doordat mijn nek ongebruikelijk breed is, en mijn hoofd bij gebrek aan contrast kleiner lijkt. Een simpel geval van gezichtsbedrog. Niettemin ben ik op dat punt toch onzeker – de wonden uit je kindertijd helen nooit helemaal, nietwaar? Daarom hou ik ook meer van de winter, aangezien ik mijn nek dan met twee slagen van een wollen sjaal kan verbergen. Is je dat ooit aan me opgevallen?

Je denkt: wat draaft hij weer door, hè? En daar heb je ook gelijk in, want ik ben nog niet klaar met de ai. Misschien interesseert hij je niet. Maar gelukkig voor mij kan ik dat vanaf hier niet vaststellen. Arme Harold, je bent altijd zo'n geweldig luisterend oor geweest. Als student maakte ik altijd grappen over de 'landbouwkundig ingenieur' die ik als kamergenoot had en amuseerde ik mijn vrienden met verhalen over jouw onbeholpenheid, je bucolische onwetendheid en de manier waarop je ongebruikelijke woorden verkeerd uitsprak. Ik moet nog steeds glimlachen als ik eraan terugdenk hoe jij de klemtoon op de tweede lettergreep legde in de woorden 'plethora' en 'amoureus'. Marcus Quiller en ik deden altijd een wedstrijdje wie van ons jou een ervan in een gesprek kon laten gebruiken. En dat terwijl de momenten dat ik 's avond gewoon op bed kon zitten praten, terwijl jij dan, op jouw bed, zat te luisteren, tot de gelukkigste van mijn studietijd behoorden. De enige momenten waarop ik het gevoel had dat ik mezelf kon zijn. Ik heb nu spijt van die grappen, misschien omdat ik het gevoel heb dat er nu mogelijk iets soortgelijks met mij gebeurt.

De ai ontleent zijn naam aan de Portugese imitatie van het geluid dat een zuigeling van de soort door zijn neusgaten maakt als hij bang is dat hij verlaten is door zijn moeder. '*Aïe*,' is, zoals je misschien weet, het geluid dat een Fransman maakt als hij lichtgewond is, het equivalent van het Engelse '*ow*'. Is het niet fantastisch dat zoiets natuurlijks als een uitroep van pijn ook in het woordenboek wordt opgenomen? Ik zat te denken dat iemand eens een klein boekje zou moeten maken met daarin een lijst van die woorden in alle talen van de wereld, een Internationaal Woordenboek van de Pijn. Ik denk dat ik dat hierna maar eens ga doen. Ondertussen heb ik geoefend, en volgens mij heb ik mezelf een heel aardige imitatie van de roep van de luiaard aangeleerd. Ik zet mijn duimen stevig op mijn neusgaten, waardoor ik ze volkomen afsluit. Vervolgens snuit ik stevig en gooi tegelijkertijd mijn duimen met een ferm gebaar naar voren, van mijn neusgaten. Het resultaat is een blaffende fluittoon die naar mijn idee behoorlijk sterk moet lijken op het geluid dat een jonge ai moet maken. Ik deed het laatst op het postkantoor toen de dame achter de balie zei dat mijn pakje niet voldoende gefrankeerd was. Het was een muizig typetje, dus je kunt je voorstellen wat het effect was toen ik mijn duimen van mijn neus in haar richting gooide en dat geluid op haar afvuurde. Ik hoorde iedereen achter me roezemoezen toen ik het pand verliet. Voortaan zal ik dat trucje altijd aanwenden als ik minachting wil uitdrukken, hoewel dat waarschijnlijk niet is wat de baby-ai ermee bedoelt. Doen jouw kinderen boerderijdieren na of doen alleen stadskinderen dat?

Ik zie dat deze brief veel te lang is geworden. Ik vraag me af of je nog steeds aan het lezen bent. Misschien kreeg je er halverwege wel genoeg van en heb ik de hele tijd in het luchtledige zitten praten. Stel je een man voor die in een kamer over zichzelf zit te praten, misschien wel op een heel saaie manier, terwijl hij naar de grond kijkt. En terwijl hij verdergaat met zijn monoloog, die zoals gezegd alleen hem interesseert, lopen de andere mensen in die kamer een voor een op hun tenen weg tot hij volkomen alleen is. De laatste doet de deur geluidloos achter zich dicht. Uiteindelijk kijkt de man op, ziet wat er is gebeurd en raakt natuurlijk overmand door gevoelens van spot en schaamte. Misschien ligt deze brief inmiddels onder in je prullenmand, een piepkleine, onbetekenende stem in de diepten van een tinnen bron, die maar door blijft ratelen. Of is je prullenbak niet van tin? Wat onbeschrijflijk treurig. Als je tot hier met me meegelezen hebt, wil ik even zeggen dat ik je gezelschap op prijs stel, en je brieven ook, en dat ik er graag meer van zou ontvangen als je zin hebt om nog eens te schrijven.

Andy

§

Beste meneer Watts,

Ik heb uw briefje over het huisvuil wel degelijk ontvangen. Ik begrijp dat u geen voorwerpen kunt ophalen die niet in zakken, vuilnisemmers of anderszins in goedgekeurde vergaarbakken zitten. En, ja, ik ben me ervan bewust dat dit al eerder is voorgekomen. Ik vind echter niet dat dat uw gebruik van de zinsnede 'recidiverend overtreder' rechtvaardigt. Na elke vorige keer dat het is gebeurd, ben ik er zelf naartoe gelopen en heb ik het allemaal opgeruimd. Als u nu langsrijdt, zult u ruim voldoende vuilnisbakken aantreffen; drie, om precies te zijn, tenzij er alweer eentje is gestolen. Het is echt niet mijn schuld dat ze ze niet gebruiken.

Hoogachtend,
Andrew Whittaker

¶

Ahoy, Willy,

Ik heb nog niks van je gehoord over dat dingetje in april. Ik weet dat het nog geen drie weken geleden is dat ik je schreef, maar ik nam eigenlijk aan dat je de kans op dergelijke exposure met beide handen aan zou grijpen. Misschien geeft die baan als docent je genoeg zekerheid om het grote publiek, en zelfs je vrienden, je rug toe te keren, als dat inderdaad is wat je doet. Ik benijd je om beide luxemogelijkheden. Ik moet zelf elke dag afdalen in de mijn en ploeteren voor mijn bestaan, en ik zit opgezadeld met een hondachtige trouw tegenover iedereen die me ooit een klopje op mijn kop heeft gegeven of mijn harige poot heeft geschud. Na een maand van tropische hitte regent het hier nu al weken aan een stuk door. De krant staat vol met foto's van overstroomde boerderijen. Ik begin behoorlijk schimmelig te worden. Schimmelig en somber. Somber, terwijl ik me afvraag waarom ik maar niks van Willy hoor. Ik ben eindelijk begonnen aan de grote roman die ik al zo lang uitstel. Ik heb mijn tijd afgewacht, me geoefend in mijn vak, ervaringen opgedaan. En nu komen de woorden er volmaakt uit; ik scheid ze zonder moeite af. Ze landen op de pagina en blijven daar liggen. Ik heb een merkwaardig muzikale structuur voor ogen: een kreunende basso profundo van wanhoop doorsneden met burleske tussenspelen en af en toe een hysterische gil. Ik ben vooral dol op die gillen – ze zijn zo typerend. Ik denk dat ik komende april wel genoeg heb om een hoofdstukje of twee voor te kunnen lezen tijdens het gala. Veel mensen hier zijn gewend geraakt aan het idee dat ik nooit iets zal produceren, dus dat zal ongetwijfeld voor enige opschudding zorgen.

Naast de roman, die het voornaamste is, heb ik ook een erg geestige parodie op die klootzak van een Troy Sokal in de pen, die speelt op het platteland van Wisconsin, een plek waar zijn romans ook vaak spelen. Je kunt je, tot je het probeert, niet voorstellen hoe moeilijk het is om goed slecht te schrijven. En ik heb ook nog een idee voor een reeks prozagedichten, kleine existentiële parabels van verveling en wanhoop, waarschijnlijk tegen het decor van Afrika.

Ik zou je graag meer over alles vertellen, vooral over hoe de laatste paar jaar eruit hebben gezien, maar op het moment zet mijn gloednieuwe werkster het huis om me heen op z'n kop. Ik heb gevraagd om een schoonmaakster en vervolgens hebben ze me een Mexicaans meisje gestuurd dat moet vragen hoe ze de stofzuiger aan moet zetten. Charmant verlegen, maar naar mijn smaak een beetje te Azteeks. Maar vanaf haar hals naar beneden is ze wat mensen vroeger een stoot noemden.

Ik hoop dat ik snel van je hoor, aangezien ik iemand anders uit zal moeten nodigen als je echt niet kunt.

Alle goeds,
Andy

§

Lieve Peg,

Dank voor je briefje. Ik was me er al van bewust dat ik een grote teleurstelling was voor papa en dat jij zijn kleine prinsesje was. Je doet zo vervelend dat ik er spijt van heb dat ik je überhaupt heb geschreven. Voor ik je allercharmantste briefje las, met je verwijzingen naar mijn intellectuele en fysieke vermogens, bestonden er een heleboel schattige foto's van je uit alle stadia van je kindertijd, waaronder eentje op een pony. Als je wilt dat ik de piepkleine snippertjes naar je opstuur, laat het dan vooral weten.

Je broer,
Andy

§

Decor: een brede rivier, traag, modderig, een soort van riviermonding. Hij ligt waarschijnlijk in Afrika. Aan beide zijden van de rivier, of riviermonding, strekt zich een zanderige woestijn uit zover het oog reikt. Geen bomen, zelfs geen palmbomen, bestippelen het landschap. In het begin is een groep kinderen, jongens en meisjes gekleed in matrozenpakjes en schortjurkjes, aan het spelen, aan het proberen te spelen, in het zand. Maar het zand is buitengewoon fijn en droog, bijna een droog soort poeder, en ze kunnen er alleen vormeloze heuveltjes van bouwen, een soort mierenhopen. Door die herhaalde mislukkingen, zwetend in hun stadse kleren, beginnen de kinderen ruzie te krijgen en lusteloos te worden, sommige het een en sommige het ander, degenen die ruziemaken slaan de lustelozen hard in hun gezicht of gooien handenvol heet zand in hun overhemdjes, de lustelozen gaan in het zand liggen en wenen zachtjes. (Dit zullen ze zich later herinneren.) De volwassenen, mannen en vrouwen wier kinderen dit waarschijnlijk zijn, staan ondertussen gekleed in donkere stadse kleren, de mannen met hoge hoeden en wandelstokken, de vrouwen met parasols, bustiers en overdreven boezems, in kleine groepjes bij elkaar op de oever, staan bij elkaar als bomen in een landschap zonder bomen, en bespreken of de donkerige dingen die ze verderop op de rivier zien, boomstammen zijn, bijna onder de oppervlakte gezakt na maanden in het water, of krokodillen. De discussie verloopt vervelend, rommelig en kent geen eenduidige uitkomst. Diep in hun hart zouden ze allemaal, zowel de volwassenen als de kinderen, graag gewoon een duik nemen en er een eind aan maken.

❡

Beste Anita,

Wat een afschuwelijk misverstand. Ik voel me een complete idioot. Je zult moeten geloven dat ik geen idee had dat jij en Rick weer bij elkaar waren. Maar als dat echt is wat je wilt, wat kan ik dan anders dan jullie beiden het allerbeste toewensen? Het was mijn bedoeling een brief te schrijven waarin ik tedere herinneringen ophaalde aan een tijd waarvan ik dom genoeg dacht dat hij voor ons beiden belangrijk was. Het doet me pijn dat je schrijft dat die je het gevoel gaf dat je bepoteld was. Ik zal je nooit meer schrijven.

Andy

❡

verfverdunner
tegellijm
mierengif
vuilnisbak
witte verf, binnen
ik schrijf als mijn moeder
postkantoor
elektriciteitsrekening
rechtbank
pillen
thuisblijven
lezen
ergens heen
Southern Comfort
eten

¶

Beste Dahlberg,

Eerst beschuldig je me ervan dat ik je werk afwijs op grond van anti-Canadese vooroordelen, en nu vertel je me dat je, dankzij het feit dat je in *Soap* bent gepubliceerd, eindelijk van bil bent gegaan. Wat moet ik met die informatie?

Andy

¶

U KUNT STRAKS OPSCHEPPEN TEGEN UW VRIENDEN! S. Spalding St. 125. Traditioneel pand van drie verdiepingen met vijf app. Twee eenheden beschikbaar. In elk 2 bdkmrs 1 bad. Opvallende boogdeuren. Enkele nieuwe rmen. Vorig jaar geschilderd. Gunstige ligging in rustige buurt bij snelweg. Verlicht parkeerterrein. WOON DE EERSTE MAAND ZONDER HUUR TE BETALEN bij 1-jarig huurcontrct. $110 exclusief.

¶

Lieve Jolie,

Er is iets mis met mijn ogen. Ze zijn bloeddoorlopen en elk licht dat erin valt is pijnlijk. Volgens mij heeft het oogwit een gele gloed gekregen, waardoor ik eruitzie als een dronkenlap.

De zon is eindelijk weer verschenen, nadat ze haar twee weken van afwezigheid heeft gebruikt om verder naar het zuiden te trekken dan de laatste keer dat we haar zagen. Nu de iep weg is, houdt niets haar tegen om het grootste deel van de dag door de ramen van de woonkamer te schitteren. Zie boven.

Ik praat soms dagenlang met niemand. Toen ik vanmorgen bij

de supermarkt bij de kassa kwam en het meisje erachter om een pakje sigaretten vroeg, brak mijn stem. Ik probeerde er een grap van te maken, maar ze deinsde terug. Dus toen ben ik maar gewoon weggelopen.

Nixon was op tv, gaf een voorstelling weg. Met het geluid uit had hij iedereen kunnen zijn.

Ik ben met de werkster het hele huis doorgelopen, en heb haar gewezen wat ik wilde dat ze deed. Ik bleef maar praten, hoewel ze nog geen twee woorden verstond van wat ik zei en steeds met een lege blik naar me glimlachte.

Iemand zegt: 'Sorry hoor, ik weet dat ik te veel praat,' en vervolgens ratelt hij maar door.

Je suggestie dat ik het tijdschrift 'een paar jaar' – schreef je geloof ik – 'opschort', verbijsterde me.

Ik heb eigenlijk niks te vertellen. Vreemd, nietwaar.

Liefs,
Andy

¶

Beste mevrouw Brud,

Ik heb uw brief ontvangen. Ik weet niet hoe lang geleden u hem schreef, aangezien hij niet gedateerd is. Als je met potlood iets schrijft op de achterkant van een reclamefolder voor gootreparaties en dat vervolgens onder iemands deur door schuift, kun je beter geen snelle reactie verwachten, want het kan gebeuren, en dat was ook het geval, dat diegene het aanziet voor een reclamefolder, wat het in de meeste opzichten ook nog steeds is, en als hij zich dan ook nog niet goed voelt en zich niet graag bukt vanwege het geluid dat hij hoort als hij dat wel doet en zijn lichte kortademigheid, dan kan het best eens gebeuren dat hij het niet meteen oppakt, maar er eerst verscheidene dagen overheen loopt voor zijn werkster, die maar eens per week een uur komt en die onervaren is en bang is dat ze een of ander waardevol document weggooit, het aan hem laat zien, terwijl ze vraagt: 'Oké ik gooi dit weg?', op welk moment hij ernaar kijkt. Het kan me niet schelen wat u tegen meneer Brud hebt gezegd. Ik heb niet geprobeerd u de slaap-kamer in te duwen. Ik deed mijn best u bij de ramen aan de straatkant weg te krijgen, zowel voor uw als voor mijn bestwil. En ik zei 'bukken', niet 'rukken'. Verder verberg ik me helemaal niet. Ik was niet thuis toen u langskwam en dus kan ik ook niet hebben 'staan gluren'. Ik ben niet bang voor meneer Brud. En ik wil niet dat u me vergeeft. Ik wil dat u uw huur betaalt.

Andrew Whittaker
The Whittaker Company

§

Beste Vikki,

Ik denk dat zorgen voor publiciteit de eerste stap is, of in elk geval een van de eerste stappen. Het lijkt me belangrijk men-sen de indruk te geven dat er iets gebeurt, zelfs als er helemaal niets gebeurt. Wat vind jij hiervan?

Andy

PERSBERICHT

Soap, het internationaal vermaarde literaire tijdschrift, heeft zijn plannen bekendgemaakt voor een jaarlijks literair festival. Hoewel geruchten over een dergelijk festival al maanden de ronde doen in literaire kringen, is dit de eerste officiële verklaring van het tijdschrift zelf. Tijdens een drukbezochte persconferentie in een hotel in het centrum kondigde Andrew Whittaker, redacteur en uitgever van *Soap* en een van de coördinatoren van het evenement, aan dat het thema van dit jaar '*Inside the Outside*' zal zijn. Meneer Whittaker legde uit: 'We willen de dialoog tussen hedendaagse cutting-edge schrijvers en het grote publiek bevorderen, om te proberen een eind te maken aan de vijandigheid en het wantrouwen dat aan beide zijden bestaat. Het moet van twee kanten komen.' Later omschreef hij dat conflict als een 'groot misverstand' en een 'storm in een glas water'.

Meneer Whittaker zegt dat hij verwacht dat het festival dit jaar 'minstens veertig' schrijvers en dichters vanuit het hele land en Europa zal trekken. In tegenstelling tot andere literaire festivals, die zich, volgens Whittaker, in kleine steden door het hele land hebben 'voortgeplant als vlooien', zullen geen van de schrijvers op het Soap Festival publiciteitsgeile wannabes zijn. 'Daar zal ik persoonlijk op toezien,' verklaarde hij. Hij weigerde die wannabes bij naam te noemen, en zei slechts dat ze 'zelf wel weten wie ze zijn'. Hij, een lange, stevige man, leek zich thuis te voelen voor de onstuimige menigte journalisten en maakte soms grapjes met een jonge journaliste die danig gecharmeerd leek van zijn humor en geestdrift. Hoewel hij zich niet vast wilde leggen op een te verwachten bezoekersaantal, zei hij na enig aandringen wel dat het hem 'niet zou verrassen' als er in de loop van de vijf festivaldagen 'twaalf à dertienduizend mensen' zouden komen, waar hij aan toevoegde: 'Er zullen zeker verkeersproblemen ontstaan.'

Naast het bijwonen van talloze workshops, lezingen en signeersessies zullen de bezoekers (tegen een kleine vergoeding) ook vrijelijk rond kunnen wandelen in wat Whittaker de 'boerenmarktsfeer' noemt, met live muziek, gratis ballonnen en kraampjes waar boekgerelateerde hebbedingetjes en souvenirs zullen worden verkocht.

Op zaterdag zal de 'Picknick in het park' (zelf eten meenemen) worden gehouden, vrij toegankelijk voor het publiek, gevolgd door een vuurwerk na zonsondergang. Zondag, de vijfde en laatste dag, zal het grote hoogtepunt van het festival plaatsvinden: de uitreiking door meneer Whittaker van de Soap Lifetime Achievement Award aan een literair figuur van wereldfaam, gevolgd door een galadiner in de luxueuze Coolidge Ballroom. Whittaker weigerde de naam van de ontvanger van de prijs van dit jaar te onthullen, en zei cryptisch: 'Dat hoor je wel als een klein vogeltje het je vertelt.' Hij wilde niet zeggen naar welk vogeltje hij verwees. De award zelf zal bestaan uit een ingelijste foto van Marilyn Monroe in bad. Whittaker omschreef de foto als 'ongeveer zo groot als een dienblad'.

¶

Maria,

Je hoeft boven niet op te ruimen. Ik heb iets onder de leden en heb besloten in bed te blijven. Wil je alsjeblieft ook niet stofzuigen? Er staat een bezem in de kelderkast. Doe daar maar mee wat je kunt. Mijn excuses voor de bende in de badkamer. Die mag je laten liggen als het je te veel lijkt. Geen flessen weggooien waar nog wat inzit. *Gracias*.

¶

Lieve Jolie,

Wat vind je hiervan?
Ik sta in een straat en kijk op naar de deur van een bakstenen gebouw, een vervallen appartementencomplex of zoiets. Sommige ramen liggen eruit en zijn vervangen door stukken bruin karton. Verscheidene metalen vuilnisbakken, verbogen en overvol, staan in een rij langs de stoeprand. Ze zien er onecht uit, als vuilnisbakken in een stripboek, er neergezet om te

84

laten zien dat dit 'een plek waar armoede heerst' is. Ik heb het gevoel dat ik 'er eindelijk ben', na een lange zoektocht naar precies dit gebouw. Ik til mijn voeten met moeite op – het voelt alsof ze verzwaard zijn met lood – en ik bestijg verschillende traptreden naar de deur. Het hout om de klink is bekrast en gesplinterd, alsof er iemand heeft geprobeerd in te breken. Ik verwacht dat hij op slot zal zitten en het verrast me als hij na een zacht duwtje opengaat, bijna vanzelf.

Ik stap direct in een grote ruimte met een laag plafond, als de kelder van een kerk. De muren zijn geel, en het licht in de ruimte is ook merkwaardig geel. Het komt, in die droom, in me op dat het meestal 'urinekleurig' wordt genoemd, een woord dat ik, in de droom, grappig vind. De lucht is zwaar, bijna vloeibaar. Op een groen bankstel midden in de kamer zit een heel kleine man, een dwerg of een kabouter. Hij zit televisie te kijken op een piepklein zwart-wittoestel dat op een stoel met een rechte rugleuning voor het bankstel staat. Verder staan er geen meubels. De dwerg, of kabouter, is van middelbare leeftijd, breedgeschouderd en gedrongen met een slap, karakterloos gezicht. Hij is keurig gekleed in een donker krijtstreeppak, een vlinderdasje en een bolhoed. Ik ben me ervan bewust dat hij is ontsnapt uit een circus, en dat van mij wordt verwacht dat ik hem vang en terugbreng. Ik weet dat dit een 'belangrijke taak' is en het vooruitzicht dat ik zou falen vervult me met angst.

De dwerg neemt geen enkele notie van me als ik binnenkom, maar blijft televisie kijken en lacht hard. Hij lacht zelfs om de reclames. Ik vraag me af hoe ik zijn aandacht moet trekken, als hij plotseling opkijkt – ik denk dat hij mijn gedachten heeft gehoord – en een klopje geeft op het kussen op de bank naast hem. Ik begrijp dat hij wil dat ik kom zitten en samen met hem tv kijk. Ik schud mijn hoofd van nee. Tegelijkertijd hou ik een kort stuk touw op. Hij ziet het, en zijn ogen verwijden zich in een groteske parodie op angst. Vervolgens steekt hij zijn tong naar me uit, schuifelt van de bank, pakt het kleine tv'tje op en waggelt, met het toestelletje in de kromming van een arm en het snoer over de vloer achter hem aan slepend, een andere ruimte in. Het verbijstert me hoe snel hij gaat. Zijn korte beentjes wervelen in een waas onder hem als een figuur in een tekenfilm. Ik strompel achter hem aan, mijn eigen benen zijn nog steeds enorm zwaar, naar iets wat eruitziet als een kamer in een goedkoop hotel. Ik heb het gevoel alsof ik door de zware, urinekleurige lucht zwem, en ik beweeg mijn armen als een zwemmer. Ik weet dat hij zich ergens in die kamer verstopt. Ik zoek onder het bed, in alle lades, achter de gordijnen voor het raam, zelfs achter een gebarsten spiegel op het dressoir. Uiteindelijk zie ik het snoer van de televisie als een rattenstaart achter een deur vandaan steken. Ik ruk de deur open en zie hem op zijn hurken achter in een diepe kast zitten. Hij frunnikt aan de knoppen van zijn tv, die op een berg vrouwenschoenen voor hem staat. Ik sleep hem, giechelend, aan zijn voeten naar buiten. Ik probeer hem met zijn kop naar voren in een stoffen zak te proppen als hij begint te gillen.

Ik werd wakker van het gepiep van een vuilniswagen op straat. De droom was hardnekkig, en er dringen zich al de hele dag flarden van op aan mijn gedachten. Eerst kleefde er een geur van angst aan, maar die is uiteindelijk vervlogen.

Het gaat niet beter met mijn ogen. Onder de spullen die ik uit de kelder heb gehaald waren zes plastic zeilen, en die heb ik nu voor de ramen in de woonkamer gespijkerd om het felle zonlicht tegen te houden. De kamer is nu prachtig blauw.

Een paar dagen geleden, toen ik net de bank uit kwam, zag ik Fran lopen in Monroe Street, en ik ben haar gevolgd, ik dwong haar steeds sneller te gaan lopen tot ze, duidelijk in paniek, de trap van een huis op rende en met beide vuisten op de deur sloeg. Ik liep zonder zelfs maar een vluchtige blik in haar richting te werpen voorbij, alsof ik geen idee had dat zij voor me liep. Ik vraag me af of ze de mensen in dat huis überhaupt kende.

Liefs,
Andy

¶

Adam was hierheen gekomen om alleen te zijn, alleen te zijn en nergens aan te denken, en om te wachten op zijn jongere broer Saul. Hij dacht aan Saul en spuugde. Het spuug kwam neer op de grond, waar het een wittig heuveltje in het stof vormde. Hij herinnerde zich Sauls spottende ogen, zijn vette haar, zijn scheve sikje en zijn slangenleren laarzen. Hij ging op zijn rug op het matras liggen, liet zich er met een plof op vallen. Hij hoorde de wind suizen in het hoge gras in de tuin. Hij hoorde het woedende krijsen van meeuwen die langs de oever van het meer scheerden, witte zakdoeken die werden gedraaid en heen en weer gesmeten door de wind. Hij dacht aan andere oevers, andere vogels. Hij dacht aan ander gras ...

Flo sprong vanuit de hoge cabine van de vrachtwagen op de grond, sloeg het portier dicht en liep naar de achterkant van de vrachtwagen. Ze liet de laadklep neer, sleepte de twee ruw gezaagde planken eruit die dienst deden als loopplank en stak de onderste delen in de grond, stampte ze stevig aan met haar voet. Vervolgens manoeuvreerde ze de groene grasmaaier van John Deere voorzichtig over de planken naar het grind langs de kant van de weg. Ze keek niet in de richting van het huis, maar ze voelde de starende blik op zich rusten.

Want de klap van de laadklep had hem opgeschrikt van het bed waarop hij de hele morgen had gelegen, terwijl de zon opklom in de lucht en het lawaai van de meeuwen nog indringender werd, ook doordat het werd vermengd met het geblaf van een hond in de verte. Hij had met zijn ogen open liggen staren naar de gelige watervlekken op het pleisterwerk van het plafond. Hij had er de omtrek van Engeland in weten te ontdekken, naast verschillende vlekken die verbijsterend veel op gigantische bloemkolen leken, en boven het raam had hij een grote kikker ontdekt met een tennisracket in zijn bek. Dat laatste had hem terug doen denken aan de kikkers bij Wellfleet en de geweldige gravelbanen die ze daar hadden. En dat deed hem weer terugdenken aan andere dingen: het huis, de

zwarte Mercedes en aan Glenda die lag te zonnen in de ligstoel. Hij herinnerde zich dat hij het huis uit liep, met een
drankje in zijn hand. Hij had zich over haar heen gebogen en
had zijn eigen weerspiegeling gezien in haar zonnebril, twee
keer. Ze had de bril afgezet. Haar lachende ogen hadden ongemakkelijk geknipperd. Daarin werd hij ook weerspiegeld,
hoewel vreemd genoeg kleiner. 'Toen ik vannacht aan kwam
rijden,' zei hij, 'stond er een man op het dek.'

Hij dacht nu opnieuw aan die gestalte op het dek, een man
in een overjas, en hij zocht ernaar tussen de verspreide vlekken op het plafond. Maar die vlek zat niet op het plafond! Hij
draaide zich om in bed en hoestte ongemakkelijk. Het silhouet van de gestalte was hem merkwaardig bekend voorgekomen, al had het gewikkeld in die grote overjas iedereen
kunnen zijn. Iedereen! Maar het had geleken alsof er iets uit
zijn mond hing, een stuk toast misschien, of een donker sikje!
De gestalte had zich omgedraaid en was met snelle passen het
strand op gelopen, om te verdwijnen in de opkomende nevel.
Om redenen die hemzelf ook duister waren, had Adam er die
avond niets over gezegd tegen Glenda. Hij wachtte tot zij eerst
iets zou zeggen, hoopte tegen beter weten in dat zij iets zou
zeggen wat zijn grootste angst weg zou nemen. Ze had kunnen zeggen – en dan had hij haar geloofd, hij had zichzelf
gedwongen haar te geloven – dat ze net een bezoekje had
gekregen van de buurman, van die oude, half kreupele Carl
Billcamp die naast hen woonde of van Susan, hun schilde-
rende vriendin, die er in een overjas als een man uit kon zien.
Of zelfs dat hij het zich had verbeeld. Alles, zelfs waanzin, was
beter geweest dan het opgekrulde stilzwijgen dat de hele dag
tussen hen in had gelegen, slaperig en dreigend als een afschuwelijk beest dat ze geen van beiden durfden te storen.

De klap van de laadbak beukte in op deze herinneringen
zoals een vuist door een vensterraam slaat.

§

Toe nou, Dahlberg,

Je reageert echt overtrokken. Ik heb geen behoefte aan een lijst van alle scherpe voorwerpen die je in je winkel hebt, en jij zou er niet zoveel aan moeten denken. Je moet iemand zoeken met wie je kunt praten, iemand die je kan helpen dingen in perspectief te zien. En ik vind het, in dit stadium, niet van smaak getuigen om *Soap* een 'lullig tijdschriftje' te gaan noemen.

Andy

¶

Beste Fern,

Ik heb de nieuwe gedichten en de foto's ontvangen. De gedichten zijn veel sterker dan degene die je eerder instuurde. Ze weten soms heel treffend de details van een fysieke sensatie te vangen – zoals op blote voeten door de met dauw besprenkelde ochtend lopen en op de 'diamant-zachte spelden' van pas gemaaid gras stappen, of in een stuk door het water zacht geworden zeep knijpen en dan 'het vettige geglibber van zacht, wit vlees' tussen je vingers voelen en terugdenken aan hoe je overleden grootmoeder met kerst altijd koekjes bakte, haar rimpelige hand in de Crisco, enzovoort. En je hebt echt een talent voor levendige beschrijvingen, zoals in dat gedicht over die stervende beer. Maar, sorry, het is nog steeds niet helemaal wat we zoeken. En ik zie er echt het nut niet van in dat je je eerdere *Zelfportret in vijf delen* met foto's illustreert. Ze dragen niets bij aan het gedicht. En trouwens: *Soap* drukt geen foto's af – veel te duur – mocht je dat denken.

Ik wil ook even gezegd hebben, nu ik toch eerlijk ben, dat er iets een tikje 'mis' lijkt met die foto's zelf. Niets technisch, zoals belichting of scherpte. Ik doel eerder op de verwarrende uitdrukking die je in sommige ervan op je gezicht hebt – een geknepen, verwrongen, haast stuurse blik. Ik wil je niet kwetsen, en ik suggereer niet dat je geen aantrekkelijke jonge vrouw bent (integendeel), maar ik zou niet overdrijven als ik zei dat je er op die foto's 'extreem zuur' uitziet. Ze laten een heel ander en, moet ik zeggen, minder appetijtelijk persoon zien dan het meisje dat ik zag op de kiekjes die je me eerder stuurde. De nieuwe foto's lijken bitterheid en teleurstelling uit te stralen, alsof dát de ware thema's van je werk zijn, zelfs al drukt je gedicht precies het tegenovergestelde uit. Eerst vatte ik ze op als weerspiegelingen van hoe ongelukkig je bent in je thuissituatie, maar nu ik er nog eens naar heb gekeken, zie ik een andere verklaring, eentje die, vrees ik, teleurstellend banaal is en te maken heeft met de zelfontspanner van de camera.

Neem de foto die je koppelt aan de afdeling 'Op en neer'. Ik stel me de volgende reeks gebeurtenissen voor. Nadat je de timer hebt ingesteld op, pakweg, anderhalve minuut, ga je op het kleine, houten plateautje van de schommel zitten en zet je je af. Met een touw in elke hand geklemd schiet je omhoog. Vervolgens span je, als ik me zo mag uitdrukken, heftig bekken- en lendedelen en je armen en schouders. Maar de schommel gaat pijnlijk langzaam; om hem hoger te dwingen moet je met je knieën 'pompen'. Dat zou allemaal hartstikke leuk zijn als je op elk ander moment aan het schommelen was, schommelde voor de lol, maar je kunt jezelf niet toestaan te ontspannen en te genieten, want terwijl je de hiervoor beschreven complexe reeks van gesynchroniseerde bewegingen uitvoert, tel je tegelijkertijd met de exactheid van een chronometer de seconden af, waarbij je misschien in jezelf zegt 'een-en-twintig, twee-en-twintig.' Je doel is om het tempo van de schommel zo te reguleren dat hij precies op het moment waarop de sluiter van de camera moet openen vanaf het hoogste punt van zijn achterwaartse zwaai naar beneden gaat, waarop de wind je jurk zal doen opwaaien zoals je beschrijft in het gedicht. Geen wonder dat je er zuur uitziet! Je camera legt de exacte contouren van elke spier in je kuiten en dijen vast (ik gok dat je een kei in tennis bent), maar accentueert helaas ook alle tekenende spieren in je gezicht, waarop nu de geknepen uitdrukking te zien is van iemand die moeilijke hoofdrekensommen maakt. Misschien is 'zuur' niet het woord. 'Wanhopig' lijkt me beter.

Ik gok dat er iets vergelijkbaars aan de hand was bij het maken van de foto die je koppelt aan het fragment dat begint met 'Het is ochtend, snel...' – dat trouwens behoorlijk goed geschreven is, met dat beeld van de zon dat 'als een scheermes' het gezicht van de dag opensnijdt. Bij die foto stel ik me voor dat je, nadat je de timer hebt ingesteld, in bed springt en snel onder het laken schuift. En nu moet je daar uitgestrekt blijven liggen en de seconden aftellen, terwijl je misschien luistert naar het vage gezoem van de timer, een paar meter verderop op z'n standaard – het klinkt als een insect dat in je oor schreeuwt '18, 17, 16...' – tot ten langen leste het moment aanbreekt om het laken in de lucht te gooien, waar het op het moment van de klik wolkachtig boven je opbolt. Ik vraag me af hoe vaak je dat hebt moeten overdoen voor het gelukt was.

Praktisch gesproken stel ik voor dat je, mocht je besluiten dit project voort te zetten, zorgt dat je een menselijke assistent krijgt om de camera voor je te bedienen. Het zou aardig zijn als alle foto's het niveau haalden van die ene waarop je in spreidstand op de reling van de veranda zit. Je gezichtsuitdrukking daarop is allesbehalve zuur. 'Verleidelijk' is een beter woord. Maar dat weet je uiteraard. Je zou een paar van de minder 'pikante' gedichten naar je plaatselijke krant kunnen sturen. Weekbladen in kleine stadjes, die altijd wanhopig op zoek zijn naar kopij, staan soms heel welwillend tegenover plaatselijke kunstenaars.

Het beste en veel succes,
Andy Whittaker
Redacteur van *Soap*

§

Beste Maria,

Aanvaard alsjeblieft mijn welgemeende excuses voor wat er vorige week is gebeurd. Toen je dinsdag niet op kwam dagen, realiseerde ik me eindelijk dat je echt beledigd bent. Toen ik je de kamer in riep, zat ik al sinds voor zonsopkomst achter mijn schrijftafel, en ik was totaal vergeten dat ik geen kleren aanhad. Dat vind je waarschijnlijk moeilijk te geloven, aangezien ik weet dat je uit een cultuur komt waarin mensen graag al hun knoopjes dichthouden, waarschijnlijk zelfs achter hun bureau, of al hun ritsen dicht, als ze die al hebben. Maar hier, vooral in je eigen huis, vergeet je dat snel. Ik maakte het denk ik alleen maar erger door te lachen, wat me spijt. Ik hoop dat je terug zult komen.

Meneer Whittaker

꜡

Lieve Jolie,

Bij dezen een ansichtkaart met het nieuwe winkelcentrum erop. Ik schrijf hem in de woonkamer, die vol staat met hoog opgestapelde dozen en baadt in het blauwe licht van het zeil. Ik ben heel gelukkig met het licht, maar niet met het winkelcentrum en de dozen. De radio staat op een stapel dozen naast me, en een tijdje geleden zette ik hem aan in de krankzinnige hoop dat ik Billie Holiday 'Am I Blue' zou horen zingen. Ik hield mezelf voor dat als dat daadwerkelijk zou gebeuren, het zou betekenen dat de wereld in orde is. In plaats daarvan werd ik uiteraard getrakteerd op een afgrijselijke flard rock-'n-roll.

Veel liefs,
Andy

꜡

Aan de redacteur:

Nu is het genoeg! De *Current* heeft al vele jaren zorgvuldig een verdiende reputatie van onwetendheid en filisterij opgebouwd, maar uw meest recente uitstapje op het gebied van de letteren slaat alles. Hoewel uw artikel ('De opwindende polsslag van onze stad') de pretentie heeft een 'literaire rondgang' te zijn langs 'onze beste schrijvers en waar ze te lezen zijn', worden we in feite getrakteerd op een kruiperig reclamepraatje over *The Art News*, dat uw verslaggever omschrijft als 'oneerbiedig' en 'levendig'. Daarop zeg ik: 'Levendig, mijn reet!' *The Art News* is zoals bekend niets meer dan het clubblaadje van een piepklein kliekje heel conventionele, buitengewoon burgerlijke schrijvers en schilders, van wie de meesten dames zijn. 'Semigeletterd flutblaadje' zou nog een te vriendelijke beschrijving van dat tijdschrift zijn. Deze lezer wil er graag op wijzen dat onderhavig artikel, aangezien het zich expliciet presenteert als een 'rondgang', zich tot op zekere hoogte verplicht álle koeien bij elkaar te drijven, waaronder, geef ik toe, ook een koehakkig, schurfterig hondenvod als *The Art News*. Maar dríjft het ze inderdaad allemaal bij elkaar? Neen. Hoe vaak maakt het artikel bijvoorbeeld melding van Andrew Whittakers *Soap*? Het verbijsterende antwoord is: niet één keer. Geen enkele melding van een tijdschrift dat zonder enige twijfel het meest prestigieuze literaire podium in de staat is, en pioniers als Adolphus Stepwell, E. Sterling Macraw en Marsha Beddoes-Varlinsky publiceerde. Hebben uw lezers van ook maar een van die auteurs gehoord? Waarschijnlijk niet, en dat is precies waarom we mensen als Andrew Whittaker nodig hebben, de enige plaatselijke schrijver wiens naam in de straten van Madison of Ann Arbor misschien een andere reactie dan 'watte?' oproept. Whittaker doet nu al tien jaar, zonder enige vergoeding, zijn werk, op de been gehouden door de overtuiging dat hij een hoger doel dient, zich niet storend aan het geknipoog en gegrinnik dat, onder andere, vanaf de pagina's van uw krant op hem neer regent. En nu acht u het, alsof u geprikkeld bent door zijn aanhoudende onverschilligheid, opportuun hem dood te zwijgen. Wat verachtelijk!

Hoogachtend,
Dr. Warden Hawktiter

§

Beste Anita,

Het lukt me maar niet je brief uit mijn hoofd te zetten. Ik ga zitten om aan mijn roman te werken, en voor ik het weet ben ik in een denkbeeldig gesprek met jou verwikkeld. Het is prima dat je in de toekomst 'geen ene donder' met me te maken wilt hebben. Ik zal heus niet naar Ithaca vliegen om te zitten janken op je deurmat. Maar het verbijstert me hoe je het verleden vertekent. Ik mag dan niet voldoen aan de eisen om jouw huidige *amour propre* te verdienen, het is wel ONS verleden en niet alleen het jouwe, waarmee je aan kunt klooien wat je maar wilt. Ik was stomverbaasd dat je het volgende kon schrijven: 'Wat mij betreft is er tijdens dat weekend niets gebeurd waar ik nu herinneringen aan zou willen ophalen. Ik herinner me niets van vochtige lakens of felrood licht op mijn 'seinpalen' (God, wat ben jij erg!). Wat ik me herinner, is een heel jong en heel bang meisje dat in een ranzige motelkamer opgesloten zat met een koeionerende neuroot.' Bang, jij? Is 'dartel' niet eerder het woord dat je zoekt? Wiens idee was die tenen mand eigenlijk? Het spijt me dat ik het zo cru moet zeggen, maar degene met wie ik in die 'ranzige motelkamer' was, was een onstuimig, hoerig, atletisch wijf. Het was duidelijk de bedoeling dat je brief zo kwetsend mogelijk was. En dat was ie ook. Hoe heb je mijn herinneringen 'erotische zoetigheid' kunnen noemen? Dat zal ik je nooit vergeven.

Andy

§

Lieve Jolie,

Afgelopen vrijdagavond lag ik, nog wakker, in bed, toen twee brandweermannen op de deur bonsden om me te vertellen dat het pand aan Spalding Street tot de grond toe was afgebrand. Het was eerder die middag gebeurd, maar ze deden er tot bijna middernacht over om me op de hoogte te stellen, omdat ik geen telefoon heb. We hebben geluk dat er op dat moment niemand in het pand aanwezig was; ik weet niet wat er zou gebeuren als een heel stel rouwende familieleden kort gedingen zouden aanspannen. Het verzekeringsgeld gaat in zijn geheel naar de bank, dus je hoeft niet te denken dat er een hele stapel door je brievenbus zal vliegen. Jij had uiteraard al zonder goede reden een bloedhekel aan dat pand, alleen maar omdat je niet van asbest afbouwmateriaal houdt. Niettemin zal het verscheiden ervan betekenen dat het bedrag op je volgende cheque aanmerkelijk lager zal zijn. Ik hoop dat je daar geen ophef over zult maken. Als je me niet gelooft, dan moet je Fender maar sturen om naar de as te komen kijken.

Ik heb sindsdien niet meer geslapen, of zo voel ik me althans, hoewel ik af en toe wel ingedut moet zijn, een uiltje moet hebben geknapt, als het er geen twee waren. Hoe zou ik anders nog kunnen functioneren op het bescheiden niveau waarop ik functioneer? Ik moet zonder het te weten slapen, hoewel ik niet zou weten wanneer. Waarschijnlijk niet 's nachts in bed, aangezien ik me er dan het scherpst van bewust ben dat ik wakker ben. Ik kijk heel veel naar de televisie. Misschien dat ik dan slaap. 's Avonds ben ik verschrikkelijk moe. Ik ben blij dat ik moe ben, omdat ik denk dat ik dan eindelijk zal slapen. Ik sleep mezelf de trap op en kruip in bed. Ik ga uitgestrekt liggen, als een lijk, en *plop*, zeggen mijn oogleden. Het is vreselijk. Ik kan het geluid bijna horen dat mijn oogleden maken als ze tegen de bovenkant van mijn oogkassen slaan. Tegelijkertijd voel ik mijn lichaam stijf worden, mijn vingers en tenen zich spreiden, de spieren in mijn nek zwellen. Zo lig ik dan urenlang, tot ik er niet meer tegen kan, opsta en door het huis ga dwalen, het eenzame, volkomen stille huis, omringd door het gekrijs van krekels. Op dat soort momenten wou ik dat ik een telefoon had, zodat ik iemand kon bellen om tegen te schreeuwen.

Het pand aan Spalding Street kan me niks schelen, als pand dan, net zomin als jou. Maar dat het verloren is gegaan, betekent dat er weer een inkomstenstroompje is opgedroogd, en dat ik veel dichter bij een compleet bankroet ben. Ik zie niet in waarom jij geen echte baan kunt zoeken, in elk geval tot ik de zaken hier weer een beetje op poten heb. Met het geld dat ik jou stuur zou dat net moeten lukken. Je kunt volgend jaar ook nog actrice worden. Waarom kun je dit jaar niet iets anders zijn? Je kunt tenslotte al typen. Ik heb het moeilijk. Ik ben met verscheidene projecten bezig, maar die hebben allemaal tijd nodig voor ze vrucht zullen dragen. Ik werk aan een nieuwe roman, eentje waar ik al een hele tijd over nadenk, gericht op een breder publiek deze keer. Ik zie niet in waarom ik dat niet zou kunnen doen zonder mijn principes los te laten.

Ja, ik had inderdaad een werkster. Ze kwam eens in de week, en ze bleef nauwelijks lang genoeg om ook maar een klein deukje te slaan in de rotzooi, die eigenlijk een natie op zichzelf is geworden. Ik had geen werkster omdat ik geld overhad, maar omdat ik nu word beschouwd als een liefdadigheidsgevalletje. Zo zien mensen die het kunnen weten mij, mensen die dagelijks op professionele basis om moeten gaan met zulke gevallen, met gevallen zoals ik. Ik heb haar de wacht aangezegd, omdat ik me de sandwiches die ze bij de lunch at niet meer kon veroorloven. Nadat ze, pakweg, een uurtje in de rotzooi had staan poeren, terwijl ze in haar moedertaal zachte klagende geluidjes maakte, ging ze weer naar huis of naar de kerk of waar die types ook heen gaan, en dan deed ik de koelkast open en kwam ik erachter dat ze mijn avondeten had opgegeten. Ik zie me inmiddels genoodzaakt de goedkoopste whisky te drinken, en ik heb nooit meer wijn in huis. Ik probeerde de brandweermannen over te halen binnen te komen en wat met me te drinken. Denk jij ooit weleens dat we, als dit allemaal achter de rug is, misschien weer bij elkaar komen?

Liefs,
Andy

PS: Ik weet ook niet wat ik bedoel met 'dit allemaal'.

¶

Beste Fern,

Ik had niet verwacht zo snel weer van je te horen. Het is erg jammer dat je maar één oud nummer van het tijdschrift hebt kunnen vinden, en jammer dat het nou net dat nummer is. Je duidelijk ironische opmerking dat je 'vreselijk geschokt' was, lijkt me een aanwijzing dat je eigenlijk écht een beetje geschokt was. Je kunt niet zeggen dat ik je niet gewaarschuwd heb! Maar niettemin, ik zou het nummer met Nadines 'Kruisgedichten' niet hebben uitgekozen als de beste introductie tot het soort werk waar we op zitten te wachten. Nadine is echt uitzonderlijk. En het is jammer dat in datzelfde nummer ook mijn 'Overdenkingen van een oude pornograaf' is opgenomen. Ik hoop dat je begrijpt dat dat stuk bedoeld was als een satire op een bepaald type mens; een eenzame, ouder wordende en wanhopige 'loser' (om een heel hinderlijke uitdrukking te gebruiken). Het is uiteraard een literair verzinsel, fictie, en geen beschrijving van het soort dingen waar ik persoonlijk aan denk als ik in bad zit. Ik wil dat punt benadrukken vanwege jouw opmerking dat ik een 'rare vent' ben. Om je een completer beeld te geven van waar we voor staan, sluit ik nog een paar oude nummers bij.

Je poëzie wordt steeds beter – sterker, met meer zelfvertrouwen en gewaagder. Echt verbazingwekkende vooruitgang. Ik was over een paar ervan oprecht verbijsterd, met name over 'Banjo, Bozo' en 'De circustent van de seks'. Die twee zou ik graag opnemen in ons aprilnummer. Het is gewaagd werk voor iemand van jouw leeftijd, en er zullen ongetwijfeld mensen zijn die zich er ongemakkelijk bij voelen als ze erachter komen hoe oud je precies bent. Maar ik neem aan dat je inmiddels wel begrijpt dat wij bij *Soap* niet voor een kleintje vervaard zijn.

Het is een opluchting voor me dat je mijn stukje advies over de zelfontspanner niet verkeerd hebt opgevat. Ik hoop in elk geval dat dat niet zo is, en dat je een grapje maakt als je me ervan beschuldigt dat ik beweer dat je eruitziet als een 'zuur type'? Je moet weten dat ik volkomen oprecht was wat betreft mijn opmerkingen over je verleidelijke kanten. Waarom zou ik daarover liegen?

Ik zie, tot slot, dat het gedicht 'Aan een oude schrijver' aan mij is opgedragen. Ik voel me gevleid en zal dat gedicht ook opnemen, als de ruimte het toelaat. Ik heb er echter wel een klein bezwaar tegen: de strofe waarin je je mijn 'door zorg gerimpelde gezicht' voorstelt dat over je schouder meekijkt terwijl je schrijft, geeft me de indruk dat je denkt dat ik óúd ben. Hoewel het waar is dat ik een oude rot in het schrijversvak ben, ben ik helemaal niet oud in de schuifelende zin van het woord. Als jij en ik bijvoorbeeld samen over straat zouden lopen, zou niemand je voor mijn dochter aanzien! En ondanks die gespierde prachtbenen van jou, zou ik op de tennisbaan behoorlijk aan je gewaagd zijn, mochten we elkaar daar ooit tegenkomen.

Met vriendelijke groet,
Andy

❡

Meneer Fontini,

Ik heb nooit gesuggereerd dat Archimedes of wie dan ook met mevrouw Fontini in bad ging, wat, als u erover na zou denken, nauwelijks mogelijk zou zijn voor iemand die groter is dan een spaniël. En, nee, ik weet niet hoe hij van voren heet. In plaats van u zorgen te maken over dat 'Griekse gelul' in uw badkuip, zou u zich zorgen moeten maken over het sturen van het geld dat u me schuldig bent. Per ommegaande. Anders stap ik naar de rechter.

Andrew Whittaker
The Whittaker Company

¶

Beste meneer Carmichael,

Ik heb de brief ontvangen waarin u mij op de hoogte stelt van
mama's dood. Die dood was uiteraard geen verrassing. In de
saaie stoet van adjectieven van het leven lijkt 'dood' met be-
droevende regelmaat te volgen op 'oud'. Hebt u er ooit op die
manier over nagedacht? Het was dus, zoals ik al zei, geen verrassing en ook geen schok op de gebruikelijke ik-moet-even-
gaan-zitten manier, maar wel een kleine schok. Ik was niet
(lichtjes) geschokt over het feit dat ze dood was – zoals hierboven opgemerkt was ze oud etc. –, maar over hoe weinig het
me deed. Het was niet zo dat het me geen donder uitmaakte,
het maakte me geen wat-dan-ook uit. U zult nu zeggen dat ik
de verdoving ervaar die altijd voorafgaat aan rouw – ik kan
het u bijna horen zeggen, zie bijna dat onaangename pruilvormpje voor me dat u met uw lippen maakt –, maar dan
vergist u zich. Ik voel me totaal niet verdoofd. Eerder een
tikje frivool. Na twee dagen betrap ik me erop dat ik glimlach
als ik eraan denk, wat niet vaak gebeurt. Dan denk ik: Mama
is de pijp uit, en dan grijns ik.

Nog even over dat pruilvormpje. Ik neem aan dat u denkt
dat dat gepruil een zekere gravitas verleent aan uw gelaatsuit-
drukking, die in harmonie brengt met plechtige frasen als 'Tot
mijn spijt moet ik u mededelen dat uw geliefde moeder is
overleden'. Ik zou graag geloven dat u het doet om een giechel
te onderdrukken, maar ik weet dat dat waarschijnlijk vergezocht is. U bent goed geweest voor mama en mij, dus ik vind
dat ik u moet laten weten dat u niemand in de maling neemt.
Als iemand een zin begint met 'Tot mijn spijt …' heb ik altijd
de neiging te zeggen: 'Ach, schei toch uit!' Dat vindt u waarschijnlijk erg cynisch van me. Maar waarom zou u niet denken dat het erg oprecht van me is? Het verschil tussen die twee
is tenslotte kleiner dan een kattenhaar op z'n kant.

Hoewel ik heb gepoogd het te verbergen (vooral omwille

van andere mensen, eigenlijk, die zich anders ongemakkelijk zouden hebben gevoeld onder mijn aanwezigheid), gaf ik niet veel om mama. Ze was een domme, onaangename, egoïstische vrouw. En ze was een vreselijke snob bovendien. En nu is ze er niet meer. Wat een mysterie zijn leven en dood toch. Hoe kunnen we die ooit doorgronden? Stuurt u mij alstublieft geen van haar persoonlijke bezittingen, behalve de juwelen. Wat de begrafenis of crematie betreft: doet u maar wat het minst kost.

Hoogachtend,
Andrew Whittaker

¶

Lieve Jolie,

Mama is dood. Ik heb totaal niet het gevoel dat ik in de rouw ben. En toch moet ik steeds aan haar denken. Aan kleine dingetjes, zoals haar passie voor de Overture 1812 en die afgrijselijke gele broek die ze altijd droeg als ze ging golfen.

Ik heb vandaag het rapport van de brandinspecteur gekregen. Het was brandstichting, zoals ik vanaf het begin heb gedacht. De brand schijnt op vier verschillende plaatsen te zijn begonnen, op min of meer hetzelfde moment. Die types zijn behoorlijk slim, zoals ze in een hoopje verkoold hout en baksteen graven, en dan met een plausibel verhaal op de proppen komen. Als ik in de ruïnes van mijn leven kon graven en dan met een plausibel verhaal op de proppen kon komen, dan zouden we ergens komen. Verder is de complete familie Brud verdwenen. Ik zie zo voor me hoe die dikke, lelijke vrouw met een vlammenwerper door het huis beent, en onderweg de ene na de andere plek in lichterlaaie zet, terwijl die padachtige man van haar kwakend achter haar aan springt. 'Lieveling, weet je zeker dat dit een goed idee is?' Ik ben het inmiddels wel gewend dat ik maar heel weinig van mensen te verwachten heb, maar ik heb ontzettend mijn best gedaan om goed voor dat gezin te zijn. De wolken van ondankbaarheid laten vuur op ons neerregenen. Zit het zo?

Liefs,
Andy

§

In de woestijn. Een vrouw met twee mannen. Een man met twee vrouwen. Een jongen, één uit een menigte van kinderen, ligt op zijn rug in het hete zand. Hij heeft het snikheet in zijn donkerblauwe matrozenpakje. Een man en een vrouw kijken op hem neer, ogen vervuld van medelijden, en werpen elkaar vervolgens een vluchtige blik toe. De jongen zal zich dit later herinneren. Hij zal zich die blik op de een of andere manier als 'onpeilbaar vreemd' herinneren. De man is de man met twee vrouwen. De vrouw is de vrouw met twee mannen. Er wordt een complex web geweven. Er is ook een vrouw met een kat, en twee vrouwen met een hond. Die maken ruzie. De man en de vrouw die neerkeken op de jongen, misschien wel een heel leven geleden, verwijderen zich van de anderen om bij elkaar te gaan staan, maar zonder elkaar aan te raken, op de zanderige oever van de rivier. Achter hen klinken de geluiden van aanhoudend gebakkelei. Uitkijkend over het water, terwijl ze praat tegen de man maar haar hoofd niet omdraait om hem aan te kijken, zegt de vrouw met een toonloze en toch, om diezelfde reden, met betekenis beladen stem: 'Door de woestijn van verveling stroomt een rivier van angst.' De man realiseert zich tot zijn afschuw dat dat waar is.

§

Beste Harold,

Je hebt waarschijnlijk gelijk, ik werk ook te hard. Het is soms moeilijk om dingen in proporties te blijven zien. Ik heb net zoals iedereen mijn goede en slechte dagen. Maar ik neem een trend waar: een neerwaartse trend. Ik had vroeger altijd een ordelijke geest, stopte nooit dingen in potten zonder etiketten en veegde Jolie de mantel uit omdat ze belangrijke papieren bewaarde onder magneten op de koelkast. Ik vond het vreselijk als ik de deur opendeed en er dan een onbetaalde rekening of heel belangrijk telefoonnummer in grote kringen naar de grond zeilde, soms schuin naar beneden duikend, zodat het onder de koelkast schoot waar je het dan met een bezemsteel onder vandaan moest zien te krijgen. Ik had soms moeite mijn woede te bedwingen als dat gebeurde, als Jolie niet thuis was en ik degene was die op mijn knieën moest om aan te klooien met die bezem. Ik had uiteindelijk geen andere keus dan alle magneten van de koelkast halen.

Verder heb ik altijd dossiers gehad. Alles wat niet in een gelabelde map in een van de vijf metalen kasten zat (in lades die ik zo goed oliede dat ze haast geruisloos open- en dichtschoven), zat in mijn hoofd in piepkleine kastjes die op een rij langs de wanden van mijn schedel stonden. Ik wist altijd, op elk moment van de dag, precies waar mijn tandenborstel of mijn exemplaar van *De kreeftskeerkring* was. Als ik iets nodig had, hoefde ik mijn hand maar uit te steken om het te pakken. Hoe is het dan mogelijk dat ik nu voortdurend dingen kwijtraak? Dat strookt niet met mijn karakter. Je zult je mijn karakter toch nog wel herinneren. Ik heb een geordende aard. Je weet vast nog wel hoe goed ik onze studentenkamer altijd aan kant hield. Je weet vast nog dat je altijd van mij op bed moest gaan staan, terwijl ik de vloer dweilde. Ik ben bang dat er iets organisch gebeurt in mijn hersenen, misschien door een ernstig gebrek aan zuurstof. De hersenen gebruiken twintig procent van de totale zuurstofvoorraad in het lichaam. Dat is veel meer dan je zou denken, gezien wat er verder allemaal in gebeurt, al die organische wieltjes en zuigers die alsmaar draaien en pompen, terwijl elk celletje schreeuwt om een stuk van de taart. Ik moet nu voortdurend diep ademhalen.

Ik wist zeker dat ik mijn koffiemok – mijn eerste van de

dag – op een doos in de woonkamer had gezet. Het was een bleekblauwe mok met madeliefjes erop; er kwam damp af. De koffie kwam tot net onder de markering halverwege de mok, of dat was hij in elk geval gekomen als die markering er was geweest; de koffie kwam tot het onderste madeliefje. De doos waar ik hem op had gezet, was de bovenste doos van de tweede stapel dozen links van de ramen aan de voorkant. Er hadden eerder vijftig Scott-handdoeken in gezeten. Die informatie stond in grote, blauwe letters op de zijkant van de doos. Dit schrijf ik allemaal om aan te tonen dat ik een heel exact beeld had van de plek waar ik de mok had neergezet. Ik had 'm in mijn linkerhand. In mijn rechterhand had ik vier kleine, gegalvaniseerde spijkers, en die legde ik ook op de doos, vlak naast de mok. Ze klikten ertegenaan. Ik zie zo mijn hand voor me toen ik hem uitstrekte om de mok op die doos te zetten, hoe de knobbel op mijn pols centimeter voor centimeter naar voren komt uit zijn schuilplaats in mijn mouw, de haartjes op mijn pols die rechtovereind gaan staan als ze ontsnappen aan de druk van de stof. Dat was allemaal vlak voor ik naar de kelder ging om te zoeken naar een hamer waarmee ik die zeilen voor de ramen wilde timmeren. De zon scheen heel fel. De zeilen waren blauw.

Dat was tien ochtenden geleden. Pas laat in de middag, drie dagen later, zag ik die koffiemok weer terug. Hij stond op een plastic melkdoos, boven in het halletje. Ik stond boeken uit een van de twee grote boekenkasten te trekken die daar staan en was ze in dozen aan het doen. Ik had een rij kleine paperbacks tussen mijn handpalmen geklemd en tilde ze, in een rij, op van de plank, en daarachter – ik schreef bijna 'zich daarachter verschuilend' – stond de mok. Hij had er drieënhalve dag gestaan, de melk was gestremd en op het schuimende oppervlak dreef een dode kakkerlak. Toen zag ik dat een van de boeken waarachter de mok zich had verscholen Petersons *Een veldgids der insecten* was. Hoewel ik nog weet dat ik schudde van het lachen om dat toeval, vind ik er achteraf niets grappigs aan. De mok was slim verstopt. De hele plank met boeken was een paar millimeter naar voren geschoven, zodat het rijtje boeken voor de mok niet op zou vallen. Ik goot de koffie leeg in de wasbak in de badkamer en duwde de kakkerlak met de steel van een tandenborstel door het afvoerputje.

En dan is er nog het geval van het verdwenen opschrijf- boekje. Het was een boekje waarin ik stukjes en beetjes had neergepend voor een paar verhalen waar ik aan werk. Het huis was echt behoorlijk leeg, de meeste kleine dingen – boeken, foto's, de meeste kleren en het meeste afval – waren in dozen gepakt en stonden in de woonkamer, vloerkleden waren opge- rold en tegen de muren gezet, lege laden opgestapeld op dres- soirs, enzovoort. Er waren nog maar een paar gebruikelijke schuilplaatsen over, afgezien van onder alle kranten, foto's en tijdschriften die kriskras op het bureau en de vloer lagen, en daar begon ik te zoeken. Het lag er niet. Nadat ik het hele huis had uitgekamd, raakte ik ervan overtuigd dat ik, in mijn haast alles in te pakken, het opschrijfboekje per ongeluk in een van de dozen had gedaan. Maar in welke doos? Ik wist dat het een van de vijf of zes dozen moest zijn die ik had ingepakt nadat ik het boekje een paar dagen geleden voor het laatst had ge- zien, maar ik kon die verdachte dozen met geen mogelijkheid onderscheiden van tientallen gelijksoortige dozen waar ze inmiddels tussen stonden. Als er een doos vol is, zet ik die namelijk niet gewoon boven op een stapel, duw 'm naar ach- teren en loop weg. Of liever gezegd: dat doe ik wel, maar daarna kom ik altijd terug om ze te verplaatsen. Ik herschik mijn dozen heel vaak, om allerlei redenen, en ik moet ze al- lemaal al tientallen keren opnieuw hebben opgestapeld voor ik me realiseerde dat dat opschrijfboekje vrijwel zeker in een ervan zat. Ik kon toen onmogelijk, door er gewoon voor te gaan staan en na te denken, herleiden welke van de vele dozen (het waren er inmiddels meer dan veertig) de schuldige was. Vanuit dat perspectief waren ze identiek, en het enige wat ik kon bedenken was ze allemaal een voor een weer uitpakken. Toen ik eenmaal besloten had dat te doen, ging ik er als een waanzinnige doorheen en gooide de inhoud lukraak op de grond, met enorme hoeveelheden proppen krantenpapier. De jacht kostte me het grootste deel van de dag en uiteindelijk lag het hele oppervlak van de woonkamer bezaaid met spullen. En zo is het nu nog; ik heb mezelf er nog niet toe kunnen zetten het allemaal weer in te pakken. Ik had alle dozen leeggehaald, de inhoud stuk voor stuk bekeken, elk boek leeggeschud voor ik het op de grond gooide, en allemaal voor niks. En toen zag ik gisteravond, net toen ik aan het avondeten wilde beginnen – een sandwich met salami en tomaat en een klein glaasje whisky – ineens het opschrijfboekje vol in het zicht op de keukentafel liggen.

Het is interessant dat jij bent gaan schrijven. Wie niet, tegenwoordig? Ik wil je manuscript best eens bekijken, als dat is wat je vraagt.

Andy

September

Beste Bob, Eric en Juan,

Ik heb weer een klacht over lawaai gekregen. Jullie zullen na tien uur stiller moeten worden of een ander huis moeten zoeken. Trek kleren aan als jullie met je wasgoed de kelder in gaan. Denk aan de mensen in de andere appartementen, die niet zo jong zijn als jullie, 's morgens vroeg op moeten om naar hun werk te gaan en bovendien gelovig zijn. Wat geen van alle hun schuld is.

Hoogachtend,
Andrew Whittaker
The Whittaker Company

¶

Beste Fern,

Ik heb de nieuwe gedichten en foto's ontvangen.

Ze zaten in dezelfde stapel post als een brief waarin me werd meegedeeld dat mijn moeder is overleden. Het was een verwachte dood, die beter eerder had kunnen komen, hoewel hij niettemin een leegte heeft achtergelaten. De wereld kantelt in een vreemdere hoek, en 's nachts droom ik van boten.

Dus ik had goed gegokt: de zelfontspanner was het probleem. De nieuwe foto's zijn véél beter, zoveel beter dat ik de fout maakte er eentje op mijn bureau te zetten, die van jou met de kat op de bank. Ik had beter moeten weten. Ik ben, zoals je waarschijnlijk al hebt geraden, een alleenstaande man, praktisch het archetype van de 'verstokte vrijgezel', en het plotseling op mijn bureau verschijnen van een grote foto met daarop een aantrekkelijke jongedame op een bank, in een houding die je alleen maar als loom kunt omschrijven, zorgde voor een spervuur aan goedmoedig geplaag op de redactie, vooral van de oudere vrouwen. Dat zijn over het algemeen schattige ouwe besjes, dus ik heb geprobeerd niets van mijn ergernis te laten merken, maar het behoeft geen betoog dat je foto nu in een la ligt, waar hij geen kwaad kan.

Ik weet niet of ik precies begrijp wat je bedoelt met 'een beetje losser worden' – wat moet er dan precies losser worden? –, maar ik bespeur wel meer spontaniteit in de gedichten en foto's, wat me een goede ontwikkeling lijkt, aangezien spontaniteit voor verrassingen kan zorgen. Ik ben zelf graag verrassend, laat mensen plotseling opschrikken als ze denken dat ik slaap of, omgekeerd, ik val in slaap als ze verwachten verrast te worden. Breng alsjeblieft mijn complimenten over aan je schoolvriendin. Alleen een echte fotograaf weet precies het juiste moment te bepalen om op de knop te drukken. Ik neem aan dat ze het werk van Cartier-Bresson kent, de beste *slice-of-life* school, waarin weten wanneer je op de knop moet drukken zo'n beetje alles is wat je moet kunnen. Als dat niet zo is, stuur ik haar graag een boekje op dat hier op kantoor ligt, aangezien dat gedoe me niet echt interesseert.

Het kon me nauwelijks ontgaan dat je, naast de ontspannen glimlach op je gezicht, nog andere dingen hebt veranderd aan de foto's – ik doel uiteraard op het kledingstuk dat je draagt op die foto waarop je de lakens van je af gooit, al is 'kledingstuk' misschien een te groot woord voor zo'n schaars item. Ik had niet gedacht dat je iets dergelijks in Rufus kon kopen. Je bent echt een opmerkelijk meisje. Wat een tegenstellingen! Toen ik laatst met een vriend zat te praten, omschreef ik je vroege gedichten als 'kinderlijk en schunnig'. Ik hoop dat je dat niet erg vindt. Ik weet niet hoe ik deze nieuwe moet noemen. Wat heb jij in hemelsnaam gelezen? Ik stel voor dat je deze gedichten niet inlevert bij de ouwe meneer Crawford! En in je uiterlijk heb je ook dat contrast tussen je gezicht, verbaasd en jeugdig, en de rest van je lijf, dat, zoals je ongetwijfeld weet, verbazingwekkend volwassen overkomt. Waar zijn je ouders, nu dit gebeurt?

Ik ben heel blij dat je mijn *Overpeinzingen van een oude pornograaf* opwindend vond, zelfs bij tweede lezing, hoewel ik bij een ding dat je schreef wel ineenkromp. Ik noemde het verhaal een literair product, dat is waar, maar dat betekent nog niet, zoals jij aanneemt, dat het daarom 'onoprecht' of 'gewoon een beetje bij elkaar verzonnen' is. Op een afgezwakte maar tegelijkertijd heel diepe manier moet een fictieschrijver elk personage dat hij creëert worden, of zelfs al zijn. Dus uiteraard schuilen er in mij, als schuilen het juiste woord is, impulsen en verlangens die lijken op die van de oude pornograaf, ook die die jij 'ongelooflijk kinky' noemt, waarmee je wel dat stuk met die zeep en die komkommer zult bedoelen, of met dat elastiekje. Hoewel ik me niet op wil dringen, zou ik het interessant vinden om te weten of, als je zegt dat het verhaal opwindend was, je een algemeen soort literaire opwinding bedoelt of iets anders. Je weet nooit zeker hoe mensen van het andere geslacht dingen opvatten, en daar ben je natuurlijk altijd nieuwsgierig naar.

Dus je vindt het werk van Dahlberg Stint echt goed? Ik was vergeten dat het nummer waar zijn verhaal in stond tussen de dingen zat die ik je stuurde. Maar, het spijt me, ik kan je verder niets van hem sturen. Het verhaal dat je gelezen hebt, is het enige dat we hebben gepubliceerd, of dat wie dan ook heeft gepubliceerd, voor zover ik weet. Je hebt gelijk, het is indringend, hoewel ik niet zover zou willen gaan hem een ongelooflijk genie te noemen. Ik zie hem tegenwoordig eerder als een zielig geval. De dingen die hij de laatste tijd heeft ingestuurd waren zo slecht, dat sommigen van ons ervan overtuigd zijn geraakt dat hij die ijzerhandelverhalen onmogelijk geschreven kan hebben. We zouden uiteraard dolgraag weten wie de echte schrijver daarvan is, maar ik aarzel om het rechtstreeks aan Stint te vragen, aangezien zijn geestelijke gezondheid verre van stabiel lijkt te zijn.

Als je tennisles hebt gegeven op een zomerkamp, dan ben je er zeker erg goed in. Ik speel zelf ook heel aardig, hoewel sommige mensen weigeren tegen me te spelen omdat ik te agressief ben.

Ik geef *Soap* nu zeven jaar uit. Dat heeft persoonlijke offers en een heleboel geestdodend werk met zich meegebracht, en ik heb vaak op het punt gestaan het bijltje erbij neer te gooien en me te concentreren op mijn eigen werk, dat op het moment in verwaarloosde stapels op mijn bureau thuis ligt, in dozen onder bedden is geschoven en, in het geval van een paar korte verhalen, in de la van een ladekast ligt die hopeloos klem zit. Maar dan, net als ik tegen mezelf zeg: 'Andy, waarom gooi je het bijltje er niet bij neer?' kom ik een talent als het jouwe tegen, en dan lijkt het allemaal weer de moeite waard. Ik vond dat ik je dat moest laten weten.

Omdat we bijdragen uit het hele land krijgen, naast alle conferenties en lezingen, ben ik gedwongen meer rond te reizen dan ik eigenlijk zou willen. Je moest eens weten aan hoeveel gedichten en verhalen ik ben begonnen terwijl ik in hotels en op vliegvelden zat. Ik zie in mijn agenda dat ik volgende maand per auto op steenworp afstand van Rufus rijd. Het lijkt me dat ik dan best even langs zou kunnen komen. Misschien kunnen we ergens in de stad afspreken om een kop koffie te drinken of samen te lunchen. Ik hoop dat je me niet brutaal vindt. Ik zou mijn tennisracket mee kunnen nemen. Wat zeg je ervan?

Hoogachtend,
Andy Whittaker

§

Beste Dahlberg,

Ik denk dat je zou merken dat mensen je een stuk sneller aardig zouden vinden, als je eens je best deed aan iemand anders te denken en niet alleen aan jezelf. Ik heb mijn nek voor je uitgestoken. Je kunt je niet voorstellen wat een gezeik ik heb gehad nadat ik jouw werk publiceerde. Hoewel dat niet betekent dat ik er spijt van heb dat ik dat heb gedaan, was het wel een hoop gezeik en je zou best eens een beetje dankbaarheid kunnen tonen. HET DOET ME PIJN EN VERDRIET als ik het werk lees dat je maar steeds in blijft sturen. Je moet er, vind ik, op worden gewezen dat ik geen jonge man meer ben. Ik sta voortdurend onder enorme druk. Ik heb geruis in mijn borst. Dus schrijf verdomme eens wat vrolijkers!

Andy

§

De klap van de laadbak deed Adam opschrikken uit zijn dagdromen, verscheurde het web van zijn gedachten, zoals het ingewikkelde patroon van een strekspin dat in al zijn dauwige schoonheid uitgestrekt over een bospad spant, wordt verscheurd door het suffe gezicht van een ongevoelige wandelaar. Hij hoorde het slepende schraapgeluid van de zware balken die uit de truck werden geschoven. Het was een geluid dat hij goed kende, want toen hij jonger en sterker was, meer deel uitmaakte van de gemeenschap, had hij in de bouw gewerkt, en hij dacht heel even dat hij weer aan het werk was. Hij sprong op van het bevlekte, bobbelige matras en verwachtte half en half dat zijn gereedschapsriem met Estwingklauwhamer eraan op een stoel zou liggen, naast zijn werkschoenen met stalen neuzen. Maar dat was, helaas, niet meer dan de zoveelste begoocheling die een wrede geest op zijn eigenaar losliet. In de afgelopen drie dagen had hij alleen wat wilde bessen gegeten die langs de oever groeiden en nu, verzwakt door de honger, begaven zijn benen het onder hem en viel hij verdoofd op de grond, waarbij zijn hoofd met een doffe, metalige dreun tegen het ijzeren bed sloeg. In de tuin hoorde Flo het geluid, maar ze dacht dat het gewoon een zak van vier kilo varkensvoer was dat op de grond werd gegooid, want daar leek het nog het meest op.

Adam moet bewusteloos zijn geraakt, want toen hij zijn ogen weer opende, werd de lucht gevuld door het schorre gegrom van een grote grasmaaier. Zijn eigen zwakheid vervloekend wankelde hij overeind en strompelde naar het raam. Hij was vervuld van een stilzwijgende, onsamenhangende woede. Zij was al bezig aan haar vijfde baan, en tussen het krot en de weg strekte zich nu bleekjes een brede strook gemaaid heidegras uit. Hij herkende het meisje op de fiets, het meisje dat de vorige keer dat hij haar zag op een fiets had gezeten. Nu zat ze hoog op de metalen zitting van een grote, groene maaimachine en stuurde, met korte polsbewegingen, behendig van de ene naar de andere kant. Hij zag dat ze heen en terug maaide, waardoor ze de machine aan het eind van elke strook helemaal om moest draaien, in plaats van de efficiëntere methode te volgen van in cirkels met een steeds kleinere radius maaien. Terwijl hij stond te kijken, viel de tractor plotseling stil. De motor slaakte een kreun van haast menselijke pijn, en stierf met een klein wolkje witte rook dat onder de motorkap uit kwam. 'Verdorie,' zei ze op vrolijke toon, en haar stem was helder en doorzichtig als het grote meer dat in al haar namiddagglorie achter haar schitterde. Ze sprong soepel naar de grond. Ze knielde neer op handen en voeten, terwijl ze haar rug kromde en diep onder het chassis reikte om een hardnekkige kluwen doornige struiken uit de as te trekken. Hij zag dat ze een afgeknipte spijkerbroek aanhad. Hij zag haar pezige kuiten, gespierde dijen en haar kleine, strakke billen. En weer begon een herinnering aan hem te knagen.

Ze voelde zijn blik op haar rusten. Die was merkwaardig warm en vochtig, alsof hij haar streelde met zijn oogbollen, en een mengeling van angst en genot deed haar rillen. Flo leefde al lang genoeg om te weten dat er een afschuwelijk verlangen school in de ogen van vrouwloze mannen. Dat had ze gevoeld in de eenzame straten van Kearney, Nebraska, toen ze als jong meisje, voor het eerst van huis, voor de posterijen had gewerkt als invalpostbode in opleiding, terwijl ze Engels studeerde aan de universiteit. O, maar dat was lang geleden, voor haar moeders langzame dood aan eierstokkanker en haar vaders ongeluk haar terug hadden gebracht naar de boerderij, naar lange dagen van loodzwaar werk en lange avonden waarin ze op haar kamer Chaucer las. En nu die zieke kippen! Hoewel ze het aan niemand zou hebben toegegeven, miste ze die blikken. Ze had een vreemde opwinding gevoeld bij de wetenschap dat de mannen die op bankjes slokjes uit hun bruine papieren zakken namen of uit de hoge cabines van hun terreinwagens leunden voor het stoplicht, haar op straat met hun ogen uitkleedden. Ze was zich ervan bewust geweest hoe de draagband van de posttas schuin tussen haar borsten liep en het shirt er strak tegenaan trok. En ze wist ook dat ze door een of andere mysterieuze handeling op afstand zorgde voor zwellingen en samentrekkingen in de lichamen van degenen die haar zagen.

En nu, terwijl ze bezig was met die wirwar van doornstruik en onkruid, voelde ze het weer. Adam was de veranda op gelopen en leunde zwaar tegen de muur.

Ze liep naar hem toe, terwijl ze haar handen afveegde aan de achterkant van haar korte broek. Ze ging onder aan het opstapje staan en keek naar hem op. Ze zag de bult op zijn voorhoofd.

'Je bent gewond,' zei ze. Ze wilde dichterbij komen, maar iets hield haar tegen, want ze was op haar hoede voor de vreemdeling die voor haar stond.

Hij gaf niet meteen antwoord, maar bleef naar haar kijken. Zijn ogen gingen langs haar slanke lijf naar beneden. Ze voelde hoe zijn ogen haar kledingstukken een voor een verwijderden. Ze merkte een verandering op in het krijsen van de meeuwen. 'Het is maar een bultje,' zei hij ten slotte.

Nu zag ze de bessenvlekken op zijn handen en mond. Ze herinnerde zich een Chippewa-legende. Ze tilde haar armen op, terwijl zijn ogen zich aan de onderkant van haar T-shirt vastklampten en het optrokken. De meeuwen krijsten demonisch.

God, wat een rotzooi!!!

Flo lag op haar rug in het hoge gras dat plat werd gedrukt door het tumult van twee kronkelende lichamen. Twee lichamen die zich zo-even nog in een explosieve golf van passie een weg naar elkaar toe hadden gebaand, maar nu van elkaar af lagen, leeg en uitgeput. Ze dacht aan een lege kogelhuls die in een veld lag na een schot op een duif. Ze keek naar de wolken die boven hen overdreven, god weet waarheen gingen. Er zat haar iets dwars aan deze man, deze plek. Er was iets vreemds aan hen. Misschien kwam het alleen maar doordat de meeuwen stil waren gevallen, of... 'Waar staat je auto?' vroeg ze loom.

Adam ging met een schok rechtovereind zitten, al zijn zintuigen plotseling in opperste staat van paraatheid. Hij was de auto vergeten! Hij zag hem voor zich op de hoofdweg van een klein boerendorpje staan waar hij hem drie dagen daarvoor had achtergelaten met vijftig cent aan benzine in de tank. Nu was het te laat. Hij dacht aan de onvermijdelijke confrontatie met de wegsleepdienst, en keek neer op Flo's naakte lichaam in het gras naast hem alsof hij het voor het eerst zag.

¶

ALS DE WASMACHINE NA HET INWERPEN VAN KWARTJES NIET START, WAARSCHUW DAN DE HUISBAAS. GA ER NIET TEGEN TRAPPEN!

¶

Fontini!

Ik zat gisteravond laat in mijn werkkamer toen ik werd opgeschrikt door het geluid van brekend glas. Ik trof op de vloer van mijn woonkamer naar ik aanneem jouw baksteen aan. Die was vermoedelijk bedoeld als geestig vervolg op je reeks beledigende ansichtkaarten. (Ik heb ze, samen met de baksteen, overgedragen aan de politie voor nader onderzoek. Heb je er wel aan gedacht handschoenen te dragen?) Het is nobel van je dat je je wilt wreken op wat jij ziet als mijn beledigingen aan het adres van mevrouw Fontini, die dikke koe. Ik stel voor dat je je, nu je de emotionele troost die te putten valt uit het gooien met metselwerk hebt gehad, verder onthoudt van ondeugendheden.

Met waakzame groet,
A. Whittaker

PS: Waar is mijn geld?

§

Lieve Jolie,

Nou, nadat ik vorige week ik weet niet hoeveel uur heb doorgebracht met het staren naar de foto's uit mama's doos, heb ik hem (mezelf) eindelijk gevonden, met dank aan een doorzichtig plastic roosterwerkje dat ik uit je zak met kunstenaarsbenodigdheden heb gered voor ik die weggooide (je had me die lijst echt moeten sturen). Ik legde de foto's een voor een op de keukentafel. Het rooster legde ik er bovenop en ik bestudeerde elke foto vervolgens nauwkeurig door een vergrootglas, één vierkantje tegelijk, waarbij ik het rooster als leidraad gebruikte. Dat is een techniek die de politie ook gebruikt als ze een huis doorzoeken op zoek naar iets heel kleins, een minuscule botscherf van het slachtoffer, bijvoorbeeld. Dan leggen ze een denkbeeldig roosterwerk over het hele huis, en vervolgens zoeken ze de vierkantjes een voor een af. Je moet elk vierkantje aftekenen zodra je het hebt bekeken, en dat blijf je doen tot je geen vierkantjes meer overhebt.

Je zult wel begrijpen dat dit in het geval van de foto's de beste methode was. Tenzij ik ergens anders heen was gestuurd (en dat zou ik me toch herinneren?), moest ik toch per ongeluk op minstens een of twee van de honderden kiekjes terecht zijn gekomen: een onhandig, niet al te oplettend joch dat achter een bal aan holt, misschien, of dat van een trap af dondert voor een meer dan levensgrote vader met een riem in zijn hand uit, om vervolgens zo de zoeker in te knallen precies op het moment dat de sluiter openging. Ze hadden zich uiteraard voorgenomen die foto te vernietigen zodra hij terugkwam van het ontwikkelen, maar, vroeg ik me af, zouden ze dat nooit vergeten zijn? Hoe belangrijk, dacht ik, kon mijn afwezigheid nou helemaal voor hen zijn? Zouden ze ergens gaandeweg niet een klein botscherfje hebben achtergelaten in een spleet? Misschien zagen ze niet dat ik ergens op de achtergrond rond-sloop, dat ik me misschien zelfs verstopte.

Dus ging ik aan de keukentafel zitten, met al die foto's in een grote doos op een stoel naast me, en bekeek ik ze een voor een, centimeter voor centimeter, waarbij ik af en toe een passer gemaakt van twee potloden en een elastiekje gebruikte om groottes en afstanden in te schatten. Na het scannen van elke foto, markeerde ik die met een grote G van 'Gedaan', hoewel die ook had kunnen staan voor 'Geen spoor van mij' of zelfs 'Godver'. Uiteindelijk waren mijn inspanningen niet tevergeefs. Ik wist mezelf niet één maar drie keer te ontdekken: eerst als vaas, daarna als een hond en ten slotte als een vreemde jongen die van achter een zwaarlijvige vrouw de camera in gluurde. Je lacht. Het is ook de bedoeling dat je lacht, hoewel ik geen grapje maak.

Bewijsstuk één. Dit is een kiekje van Peg, op ongeveer twaalfjarige leeftijd, met een korte broek en een hemdje aan. Ze richt een straal water uit een tuinslang op een groot, zwart voertuig dat op de oprit staat. Ik geloof dat het een LaSalle uit 1938 is. Het water ketst van de auto af, in haar gezicht. Getuige haar glimlach lijkt ze dat niet erg te vinden, waaruit ik, met haar korte broek en hemdje, opmaak dat het erg warm weer is. Achter haar doemt een huis op, naar ik aanneem het huis waarin we destijds woonden, twee verdiepingen, niets opmerkelijks aan te zien. We hebben in zoveel huizen gewoond, verhuisden zo vaak, dat ze in mijn herinnering niet meer zijn dan een wirwar van architectonische fragmenten, een deur hier, een plafond met vochtplekken daar. Wat het huis op de foto betreft, voor de ramen beneden zie ik witte gordijnen hangen; voor de ramen boven zitten canvas rolgordijnen. Een rolgordijn is helemaal naar beneden getrokken. Misschien ligt er in die kamer iemand te slapen, hoewel we aan het kleine schaduwtje dat als een plas aan Pegs voeten ligt kunnen zien dat het midden op de dag is. Misschien heeft degene in die kamer een kater. Als je nu goed kijkt, zoals ik heb gedaan, zul je iets zien wat lijkt op een eivormige vaas die op de vensterbank achter het raam naast die kamer staat. Er zit een rasterwerk voor het raam en dat maakt het, opgeteld bij het kleine formaat van de foto, onmogelijk een beeld van die vorm te krijgen dat volkomen eenduidig is. Er steken aan de bovenkant stelen uit van dingen die bloemen lijken te zijn. Ik heb er door een vergrootglas naar gekeken. Ik heb eerst aan mijn kin gekrabd en vervolgens aan mijn neus, zoekend naar aanwijzingen, en toen schoot het me te binnen: waarom nam ik áán dat dat eivormige ding een vaas was? Waarom kon het niet evengoed een hoofd zijn? Waarom zou het dat níét zijn? Hoe langer ik naar de foto keek, des te intenser voelde ik hoe ik mijn neus tegen dat rasterwerk drukte terwijl ik door het raam van mijn benauwde bezemkastje van een kamer naar Peg probeerde te turen die plezier maakte met die tuinslang.

Ik weet wat je denkt, want ik weet hoe jouw hoofd werkt als het om mijn ideeën gaat. Je zult zeggen: 'En die bloemen dan? Je schreef zelf dat er bloemen in dat vaasachtige voorwerp achter het raam leken te zitten. Dan groeiden er zeker bloemen uit je hoofd. Ha ha.'

Daarop is mijn reactie: waarom zeg je dat het bloemen zijn en niet, pakweg, veren? Waarom zouden we ons voorlopig in plaats van bloemen niet een indianentooi voorstellen – hoe zou dát eruitzien? Ik kan me niet herinneren dat ik zo'n tooi bezat, maar ik herinner me ook niet dat ik er níét een had. Sterker, ik schreef alleen maar dat die steelachtige dingen er als bloemen uitzagen, omdat je bloemen verwácht in een vaas. Maar als het een hóófd is, dan zien ze eruit als veren. En als ze eruitzien als veren, dan moet dat ding wel een hoofd zijn, een eenzaam hoofdje met zijn neus tegen het raam gedrukt.

Bewijsstuk twee. Er staat opnieuw een auto in het midden van het beeld. Deze keer een stationwagen waarvan ik het merk niet kan bepalen. Papa en een man die ik niet herken staan achter de auto. Ze houden allebei een grote vis bij z'n kieuwen vast, houden 'm hoog op voor de camera. Ze glimlachen allebei, hoewel de vis die die andere man ophoudt absoluut groter is dan die van papa. Ik probeer te zien of papa dat erg vindt, maar daar is de foto te klein voor. Het valt me wel op dat die andere man zijn vis een eindje verder omhooghoudt dan papa, wat, gezien het feit dat zijn vis zwaarder is, weleens kan betekenen dat hij er trotser op is, of misschien alleen maar dat hij sterker is. In die periode was papa waarschijnlijk niet erg sterk. Hij ziet er te dik en kwabbig uit. Hij heeft wallen onder zijn ogen, alsof hij slecht sliep, zoals later ook het geval was toen zijn psoriasis uit de hand liep. Je kunt een meer zien liggen achter de auto. Op het eerste gezicht, betoverd door de aanblik van die vissen, zou een vluchtige kijker verder waarschijnlijk niet veel opmerken. Maar als hij blijft kijken, zoals ik heb gedaan, vooral als hij een vergrootglas gebruikt en het roosterwerkprincipe toepast, zal hij uiteindelijk zien dat er iets – of iemand – op de achterbank van de stationwagen zit. Het ziet er op het eerste gezicht uit als een grote spaniël. Aangezien we een hele reeks springers hebben gehad, kan die interpretatie niet met volkomen zekerheid worden uitgesloten. Aan de andere kant, het kan evengoed het hoofd van een jongen zijn die zo'n muts opheeft met met bont gevoerde oorflappen, waarvan de flappen los naar beneden hangen. Nogmaals, het simpele feit dat ik me een dergelijk hoofddeksel niet kan herinneren, wil nog niet zeggen dat hij niet heeft bestaan, aangezien ik me vrijwel niets kan herinneren. Als alles wat we ons niet zouden herinneren ook niet zou bestaan, waar bleven we dan? Het lijkt weliswaar een nogal warme dag om een bontmuts op te hebben, maar misschien was ik destijds al een beetje onzeker over het feit dat mijn hoofd wellicht een tikje aan de kleine kant was. En trouwens, waarom zit er op zo'n duidelijk aangename dag een hond in de auto? Is die hond kwaad omdat hij geen vis heeft gevangen? Is hij aan het mokken? Heeft hij woedeaanvallen?

Bewijsstuk drie. Op deze foto lijkt op het eerste gezicht niemand te staan die ik ken. Voor een derde maal staat er een auto midden in beeld, deze keer in een innige omhelzing met een bestelbusje. Op de foto zijn de gevolgen te zien van een botsing tussen een donkere vierdeurs sedan en een bestelwagen van gemiddelde grootte. De sedan is er het slechtst aan toe, de grille en rechterbumper zijn afschuwelijk verbogen. Een politieagent leunt door het raampje van de sedan naar binnen, en lijkt te praten met degene die achter het stuur zit, hoewel die aan onze blik wordt onttrokken door het felle zonlicht op de voorruit. Er heeft zich op de stoep aan de overkant van de straat voor een kleine winkel een aanzienlijke menigte verzameld; ik kan zien dat het een winkel is door de Coca-Colareclame die boven de deur hangt. Op het eerste gezicht lijkt de menigte uit louter volwassenen te bestaan. Ik laat me echter niet ontmoedigen door die eerste indruk, en blijf stap voor stap het roosterpatroon afwerken: ja, dat is echt een schoen, dat is echt een hoed, dat is echt een elleboog. En ja, o ja, dát is een heel klein gezichtje. Het piept achter de volumineuze rok van een enorm zwaarlijvige vrouw vandaan. Het is het gezicht van een jongen met blond haar, een steels jongetje met blond haar dat duidelijk niet op de foto wíl, anders zou hij zich niet achter de rok van die dikke dame verschuilen; dan zou hij zich wel met de rest van de lui staan te vergapen. Ik weet in elk geval zeker dat ik me zou staan te vergapen, tenzij … En plotseling gaat het gordijn omhoog, het hele schouwspel verschuift en wordt een totaal ander schouwspel, zoals op van die tekeningen waarin een konijn plotsklaps in een eend verandert, alleen maar omdat iemand heeft opgemerkt: 'Dat is een eend.' Op een vergelijkbare manier vielen die auto en die bestelwagen weg, zodra ik tegen mezelf zei: 'Dat is géén foto van een verkeersongeluk.' Ze werden niet meer dan toevallige rommel op de voorgrond, terwijl het gezicht van die jongen – die nu meer angstig dan steels leek – naar voren schoot, eruit sprong, als het ware, als het echte onderwerp van de foto. Deze foto was duidelijk iemands poging om aan iemand te kunnen bewijzen (aan mama? aan de spijbelambtenaar?) dat dat jongetje niet was waar hij hoorde te zijn (op school? bij de tandarts?). Ik tril van opwinding, ik sluit mijn ogen en plotseling schuift Pegs gezichtje in beeld, haar ogen samengeknepen achter haar camera. En daar kruipt ze onder het huis, waar ik opgekruld lig in het vuil naast de schoorsteen, en als ze nog dichterbij komt, zal ik haar schoppen.

Afgezien van mijn detectivewerk lopen de dingen hier niet op rolletjes. Mijn roman, die komisch bedoeld was, wordt niet zoals ik me had voorgesteld. Hij heeft een sluier van wanhoop gekregen, waarvan ik betwijfel of lezers die grappig zullen vinden. En ik doe veel te vaak helemaal niets. Ik heb vorige week de televisie verkocht. Ik doe geen lichten aan, tenzij het echt moet. Ik heb gemerkt dat ik de meeste dingen ook in het donker kan, en ik lees en schrijf zelden na zonsondergang. Ik zou graag schrijven dat ik 'in het donker zit te mijmeren', maar dat is niet zo; ik zit me in het donker op te vreten. De rest van de tijd zit ik me in blauw licht op te vreten. Ik weet niet hoe de dingen op dit treurige pad zijn beland. (Terwijl ik dat opschrijf, zie ik de 'dingen' een nauw pad in de hoge bergen opklauteren, op weg naar een pas die door de sneeuw al onbegaanbaar is geworden.) Welke beslissing was de verkeerde? Of waren er wel vijf verkeerde beslissingen, of duizend? Mensen beweren graag dat elk moment ons voor een splitsing op ons levenspad stelt: ik zit achter mijn bureau in plaats van naar het raam te lopen, waar ik misschien was geraakt door een baksteen, of in plaats van te gaan wandelen in het park, waar ik een bloedmooie vrouw was tegengekomen, een overvaller, een man die verzekeringen verkocht, of helemaal niemand; als ik boodschappen ga doen, sla ik de ene straat in en niet de andere en daardoor is alles voorgoed anders. Heb je je ooit afgevraagd of dat andersóm misschien ook geldt? Als je teruggaat, moet je onderweg ook voortdurend beslissingen nemen, waarbij elk voorwerp dat je terughaalt uit je geheugen alleen maar de eerste link in een mnemonische keten is, waarbij elke nieuwe keten een totaal ander verleden recreëert, een ander album vol foto's construeert, een andere doos met vergeten schatten uitpakt – een ander verleden dat uit de aard van de zaak het verleden bij een ander heden moet zijn, een andere toekomst, een ander *persoon*. De vloer lijkt onder ons weg te vallen. Duizend persoonlijkheden drommen samen op ons kleine podium. Ik zie nu in dat ik kan zeggen *wat ik wil*.

Ik merk dat ik huil om mama.

Ik vreet me op over het literaire festival. Ik voorzie een complete mislukking. Ik schijn overal vijanden te maken. En ondertussen wordt het huis steeds moeilijker in de hand te houden. Ik had bijna alles in dozen gepakt, maar vervolgens moest ik alles er weer uit halen. Nu probeer ik alles weer in dozen te doen. Ik heb het gevoel dat ik word overmand door chaos. Ik weet niet waar die vandaan komt. Van onder de vensterbanken? Door de naden tussen de vloerplanken? Uit de armaturen van de lampen? De verwarmingsroosters? Het voelt als een invasie van verslindende mieren. Ik doe mijn mond open, en ze komen er in zwermen uit over mijn overhemd.

Liefs,
Andy

ꞩ

Beste Dahlberg,

Je wordt er echt geen schrijver van als je dat soort dingen met je lichaam doet. Geen STERVELING wil ervan horen. Je MOET echt iemand zoeken die je kan helpen. Maar ik ben diegene niet. Hoewel ik je alle geluk toewens, zal ik geen van de brieven die je in de toekomst stuurt openmaken. Verspil je tijd er niet aan, want ze zullen regelrecht de prullenmand in vliegen.

Andy

¶

Aan de redactie,

Ik heb met veel interesse de stimulerende brief van dr. Hawktiter over Andrew Whittaker gelezen, waarin hij erop wijst hoe blij we ermee mogen zijn dat we een schrijver van meneer Whittakers kaliber in ons midden hebben. Dat is zeker het geval. En het geldt zelfs voor diegenen onder ons die zich er niet van bewust zijn dat hij er is, aangezien er wat voor te zeggen is in een geletterde gemeenschap te wonen, zelfs als je daar persoonlijk geen deel van uitmaakt en de tv verkiest boven de stimulus van een goed boek. Dat is hun goed recht. Ik wil het hier echter niet hebben over Whittaker als controversieel auteur. Anderen mogen oordelen over zijn literaire waarde. Anderen mogen zijn moedige ondersteuning van worstelende kunstenaars bekritiseren, als ze durven. Nee, het gaat mij hier niet om Andrew Whittaker, maar om Andy, de man die aan de overkant van de straat woont.

Zes jaar geleden maakte een auto-ongeluk een einde aan de levens van mijn man Rob en mijn dochtertje Clarissa Jane, en ikzelf ben sindsdien vanaf mijn middel verlamd en aan een rolstoel gekluisterd. Je weet niet hoe je na zo'n tragisch ongeluk verder moet leven, maar toch doe je het op de een of andere manier. En dat lukt dankzij kleine dingetjes als het gezang van vogels, spelprogramma's op tv en, wil ik daaraan toevoegen, dankzij groothartige mensen als Andy. Op de dag dat ik uit het ziekenhuis kwam, stond hij voor mijn deur met een grote stapel boeken in zijn armen. Ik herinner me zijn vriendelijke glimlach en zijn vochtige ogen toen hij naar mijn gezicht keek, dat afschuwelijk verminkt was. Andy was degene die nog diezelfde middag door de kasten en lades heen ging en al Robs pakken en overhemden meenam, zodat ik nooit met die dingen geconfronteerd zou worden die me zouden herinneren aan gelukkiger dagen.

Hoe vaak heb ik in de jaren daarna niet het vrolijke getingel van de deurbel gehoord die een van zijn spontane bezoekjes aankondigde? Hij speelt altijd dat die-zien-we-nooit-meer-terug-deuntje op de bel. Ik moet altijd lachen als ik daaraan denk. Het is zoiets jongensachtigs, en toch ook zo innemend. Hij heeft een bepaalde, hoe zal ik het zeggen, geestelijke stuiterigheid die ontzettend aanstekelijk is. Na zijn bezoekjes sjeesde ik vaak in mijn rolstoel door het huis tot de accu helemaal leeg was. En mijn verzorgsters zijn ook dol op hem, vooral de jonge meisjes, omdat hij hun altijd een Europees soort hoffelijkheid betoont, hoewel hij zelfs de oudere zo weet in te palmen dat hij ze af en toe een kusje op hun wang mag geven. Die goeie ouwe Andy. De ene dag komt hij aan met een krentenbrood dat hij zelf heeft gebakken, de volgende dag met een bloem die hij in het park heeft geplukt of met een herfstblad waar zijn oog op viel en waarvan hij hoopt dat het me een beetje plezier zal schenken, als een lucifer, als het ware, in de donkere gang van mijn dagen. Op andere momenten, vooral op regenachtige dagen, als er uit het raam niets te zien is, leest hij me voor uit de klassieken, waarbij zijn sonore stem van kamer tot kamer zweeft, terwijl hij door het huis beent en de rol van Ahab of blinde Pew of graaf Dracula speelt. Soms jaagt hij de jonge verpleegstertjes de stuipen op het lijf met die voorstellingen. We kennen onze goedhartige vriend dan nauwelijks terug. Maar het is natuurlijk maar voor de grap, en uiteindelijk komen ze weer naar binnen.

En dan zijn er nog de fantastische maaltijden die hij langs komt brengen op met aluminiumfolie afgedekte borden, compleet met een glas *rouge* of *blanc*, passend bij het gerecht in kwestie. Hij heeft een uitstekende smaak, zij het dat Indische kruiden soms wat overheersend zijn. Maar dat past zo goed bij zijn karakter dat ik er nooit wat van zeg, maar liever mijn best doe en veel water drink. Soms komt hij even langs voor een praatje, en toen ik een keer een scheermesje had ingeslikt, heeft hij mijn leven gered. Ik heb het altijd enorm betreurd dat ik na Clarissa Jane geen kinderen meer heb gekregen (en nu is het uiteraard te laat). Wat hadden ze ervan genoten als 'ome Andy' was langsgekomen om een potje te stoeien op het vloerkleed. Nu is mijn kleine hondje Charlie dol op hem, net als al mijn neefjes en nichtjes, hoewel die nauwelijks meer op visite komen. Hun moeder neemt mij de dood van Rob nog steeds kwalijk, hoewel het zijn idee was dat ik zou rijden. En ik was er heel wat beter aan toe dan hij. Alleen mijn katten zijn nog wat afstandelijk tegen Andy. Misschien niet omdat ze hem niet aardig vinden, maar omdat ze dat juist wel vinden, en voelen dat hij allergisch voor ze is. Arme Andy, hij is voor zoveel dingen allergisch, niet alleen katten, bomen en bloemen, maar zelfs voor Pledgemeubelwas die de meeste mensen onschadelijk achten, ondanks de waarschuwing op het etiket. Je zult er versteld van staan hoeveel mensen Pledge gebruiken. Andy zegt dat hij het gevoel heeft dat hij er aan alle kanten door wordt omringd. Ik heb al vele malen uit mijn raam gekeken (ik zit vaak bij het raam) en dan Andy in een van Robs pakken, die nu versleten zijn en glimmen op de knieën, tegen een telefoonpaal geleund zien staan, terwijl het water uit zijn neus liep en hij wanhopig op adem probeerde te komen. En dat is dan de man die bepaalde mensen keer op keer blijven kwellen! Volgens mij moeten we, met dr. Hawktiter, allemaal zeggen: kappen daarmee!

Hoogachtend,
Dyna Wreathkit

§

AAN ALLE BEWONERS: DE DIRECTIE HEEFT BERICHT GEKREGEN VAN DE BRANDWEER AANGAANDE FIETSEN, KINDERWAGENS EN SPEELGOED OP DE GANGEN. DEZE VOORWERPEN ZIJN GEVAARLIJK IN DE GANGEN EN IN DE BUURT VAN TRAPPEN EN

MOETEN TE ALLEN TIJDE IN UW APPARTEMENT OF IN DE KEL-
DER WORDEN OPGESLAGEN. VOORWERPEN DIE DEZE REGELS
SCHENDEN, ZULLEN NAAR HET LEGER DES HEILS WORDEN GE-
BRACHT.

DE DIRECTIE

§

Beste meneer Freewinder,

Verontschuldigingen zijn echt niet nodig. Ik begrijp volkomen
dat uw eerste verplichting de American Midlands geldt, en
terecht, want ik durf te stellen dat er nergens een betere bank
van die omvang is, zeker niet nu u dat grote, nieuwe uithang-
bord hebt. Een geweldig idee om dat van baksteen te maken,
vind ik. Bakstenen stralen, zeker als ze zo verschillende rijen
dik zijn opgestapeld, een gevoel van soliditeit uit, dat mensen
die hun spaargeld aan u hebben toevertrouwd erg geruststel-
lend moeten vinden. Ik kan me niet voorstellen hoe een uit-
hangbord van hout – ik denk hierbij aan het triplex prul dat
ze bij First National hebben – in dezelfde mate gerust kan stellen. Ik vraag me af of het verhaal van de drie kleine biggetjes
enige invloed heeft gehad op uw beslissing om voor baksteen
te kiezen. Als dat het geval is, zult u, als u leest wat ik te zeggen
heb, waarschijnlijk denken dat ik lijk op die dwaze big die zijn
huis van stro heeft gebouwd. Als dat het geval blijkt – en het
is aan u om daarover te oordelen – dan zou The Whittaker
Company op het moment weleens zo kwetsbaar kunnen zijn,
dat het wreed en onverstandig van de bank zou zijn om erte-
gen te blazen – onverstandig, omdat u, als het omvalt, om een
populaire uitdrukking te gebruiken, met de gebakken peren
zit; en wreed, omdat die peren wel degelijk door iemand gebakken zijn. Gebakken door een hardwerkend iemand en, wat
u ook is verteld, niet door iemand die 'de kantjes ervan af
loopt' en 'loopt te lanterfanten'.

In betere tijden had ik mijn secretaresse er meteen op af gestuurd om u met gezwinde spoed het document te bezorgen waar u om vraagt. Helaas is zij hem gesmeerd, zoals dat heet. Naar New York City, waar ze de ambitie koestert actrice te worden. Dat is niet mijn schuld en persoonlijk wijt ik het aan de filmblaadjes die ze bij haar kapper aantrof. Wat denkt u? Wat het document betreft, ik moet u tot mijn spijt mededelen dat ik het in de rommel niet heb kunnen vinden. En nu zou ik graag even de tijd nemen om daar iets over te vertellen, over die rommel.

Die heeft zich geleidelijk, zelfs onstuitbaar, opgestapeld sinds zij de benen nam. Elke dag een beetje erbij. Twee jaar en zestien dagen. Hebt u enig idee hoe lang dat is? Om u een indruk te geven van de omvang, hoeft u alleen maar een blik op mijn bureau te werpen. Daar ligt zo'n enorme berg 'spullen' op dat ik het niet meer als bureau kan gebruiken. Als ik iets moet schrijven, zie ik me genoodzaakt te blijven staan en het papier tegen de muur te houden. Om enige orde te handhaven, heb ik vanaf het begin geprobeerd te voorkomen dat de stapels herhaaldelijk van het bureau op de vloer gleden door ze met stukjes tape vast te plakken. Dat is maar ten dele gelukt en heeft als nadeel dat als een stapel uiteindelijk valt, die ook in zijn geheel valt. Aangezien hij met tape bij elkaar wordt gehouden, tuimelt hij om als een gevelde boom in plaats van dat hij alleen maar een deel van de bovenkant verliest, zijn kroon, als het ware, zoals anders het geval zou zijn en soms met bomen gebeurt tijdens stormen, vooral dennenbomen. Door de tape kan ik ook niet zomaar ergens midden in een stapel kijken om te zien of het daar ligt. Ik zou eerst de hele toren moeten ontmantelen en dat gaat, vanwege de tape, niet zonder scheuren. Sommige stapels zijn zo hoog geworden, dat ik niet zou weten hoe ik die moet ontmantelen, als ik daartoe zou besluiten, en hoe dat bereikt zou kunnen worden zonder een nog grotere wanorde te creëren. De tape zat er tenslotte juist omheen om dat te voorkomen.

Als ik zeker zou weten dat uw document op een van die stapels lag, zou ik er uiteraard geen bezwaar tegen hebben ze een voor een door te nemen, erdoor te hakken en te scheuren tot ik het had gevonden. Maar dat is niet het geval. En probeert u zich maar eens in te denken hoe vervelend we het allebei zouden vinden als ik uiteindelijk met lege handen zou staan. Want we hebben het hier niet over maar een paar duizend losse papieren die over de vloer verspreid liggen; we hebben het over duizenden losse papieren met stukjes kleverig tape eraan. Stelt u zich maar eens mensen, kinderen misschien, voor die heel nodig naar de wc moeten en daar dan allemaal overheen moeten lopen, terwijl het ene na het andere stuk papier aan de zolen van hun schoenen blijft plakken. En hoewel die papieren misschien geen van alle het document zullen zijn waar u naar vraagt, zijn het wel belangrijke papieren – gedichten en flarden van korte verhalen en boekbesprekingen en dergelijke, waar creatieve schrijvers bloed, zweet en erger in hebben gestoken – zelfs al zullen ze, die papieren, inmiddels uiteraard verkreukeld en plakkerig zijn. En wat denkt u dat die mensen, inmiddels grondig geïrriteerd en wanhopig, met die papieren zullen doen als ze eenmaal op de wc zitten met de deur op slot? U zult het ongetwijfeld met me eens zijn dat we, voordat we dat laten gebeuren, verplicht zijn eerst tot op de bodem van elke andere mogelijke schuilplaats te graven, hoe twijfelachtig of vergezocht ook.

De archiefkasten, bijvoorbeeld. Vijf stevige, stalen exemplaren. Samen bevatten ze zeventien lades, als we die ene die zijn frontje of 'buitenlaag' (het deel waar het handvat aanzat) is kwijtgeraakt en nu dienst doet als een soort glijdend dienblad ook nog als 'lade' meetellen. Ik denk dat in dat geval 'ex-lade' misschien een beter woord is dan 'lade', en in dat geval daalt de som van echte lades naar zestien.

Op dit moment, vanaf mijn huidige positie in de kamer, met een schouder leunend tegen een muur naast de deur, kan ik alle vijf archiefkasten overzien. Ik realiseer me dat als we het woord 'bevatten' in zijn strikte en ware zin opvatten, ze in feite maar twaalf lades bevatten, aangezien vier van de lades zo overvol 'spullen' zitten dat het onmogelijk is ze dicht te duwen, en we ze in die conditie, zo over de vloer hangend, onmogelijk kunnen omschrijven als iets bevattend zonder ons over te geven aan onzorgvuldig taalgebruik dat we naar mijn mening zouden moeten vermijden.

Eerder dit jaar, toen mijn gezondheid dergelijke inspanningen nog toestond, heb ik gepoogd die lades met mijn voet dicht te krijgen. Door te schoppen, uiteraard, wat volkomen ineffectief bleek, maar ook door op mijn rug op de grond te gaan liggen, met mijn knieën opgetrokken, en met mijn voetzolen tegen de voorkant van de lade te duwen. Het resultaat was niet zoals ik had gehoopt. Toen ik mijn knieën strekte en duwde, gleed mijn hele lichaam, schoot zelfs, over het linoleum de andere kant op. Ik heb dit met alle vier de lades geprobeerd. In alle gevallen gebeurde precies hetzelfde, en in geen van de gevallen gaf de lade ook maar een millimeter mee. Ik ben er echter wel in geslaagd de frontjes of 'buitenlagen' van alle vier de laden in te deuken en het zilvermetalen handvat er strak tegenaan te duwen. Nu ik er langer over nadenk – over het feit dat de lades niet dicht zijn gegleden – lijkt dat me een gelukkig toeval. Als ik erin was geslaagd ze met mijn voeten dicht te duwen, zie ik niet in hoe ik ze, zonder die handvatten, ooit nog open had kunnen krijgen, in welk geval uw document, als het inderdaad in een ervan zit, niet meer bereikbaar zou zijn geweest.

Niettemin bevatten de kasten, zoals het er nu voorstaat en niet door enig voetenwerk van mijn kant, nu al drie lades die volkomen vastzitten in de 'in' of 'dicht'-stand. Ze zaten zelfs al in die stand vast voor zij de benen nam, een periode waarin ik niet 'de leiding' had. Ik had die drie lades eigenlijk vanaf het begin van de lijst af moeten trekken, aangezien het, functioneel gesproken, ex-lades zijn. Na de verlate correctie is het totale aantal echte lades dus geslonken tot negen, wat u waarschijnlijk als een overzichtelijk aantal in de oren klinkt, net als in de mijne toen ik er gisterochtend op uitkwam. Ik lag op de bank, na een slapeloze nacht, te luisteren naar de eerste vogels die me van ergens vandaan klagelijk toezongen. Ondanks mijn uitputting, was mijn eerste impuls toen ik eindelijk op dat getal uitkwam om meteen aan de slag te gaan, gewoon van de bank op te springen en alles, lade voor lade, vel papier voor vel papier, uit die lades op te graven. Maar ik had mijn voeten nog maar nauwelijks op de grond gezwaaid en ze daar stevig neergeplant (vastbesloten, zoals ik al zei, om aan de slag te gaan) toen ik me realiseerde dat ik, in mijn enthousiasme over het feit dat ik er eindelijk was, op het punt stond op een manier te handelen die allesbehalve rationeel was. Ziet u: ik had niets om op af te gaan – dat wil zeggen, niets substantiëlers dan de vage hoop dat het document op de een of andere manier ergens in een van die negen lades terecht was gekomen. Maar om zeker te weten dat dat het geval was – en dat het niet gewoon een illusie was, geboren uit wishful thinking – zou ik uren of zelfs dagenlang vervelend werk moeten verrichten, in een ongemakkelijke houding. En uiteindelijk zou ik, mocht ik voor die handelswijze kiezen, nog met lege handen kunnen staan, aangezien het mogelijk, zelfs plausibel is dat het document niet eens in een van de lades die voor mij toegankelijk zijn zit, maar in een van de drie die op het moment hopeloos vastzitten, of zelfs, zoals ik al eerder zei, in een van de stapels op het bureau. En als dat het geval is, wat nu waarschijnlijk lijkt, dan zouden al die uren, zelfs dagen, die ik op mijn knieën door zou brengen, praktisch tot aan mijn heupen in het afvalpapier, slechts verspilling van kostbare tijd zijn. Het leek me, om kort te gaan, op dat punt in mijn onderzoek van cruciaal belang dat ik, voor ik ook maar ergens ging zoeken, zorgde dat ik overál kon zoeken, ook in die klem zittende lades. Dan zou ik u, hoewel ik uw document misschien nog steeds niet zou vinden, in elk geval zonder gewetensbezwaren een brief schrijven die begon met: 'Na een uitputtende zoektocht, moet ik u tot mijn spijt mededelen ...'

Het zal u zijn opgevallen dat ik deze brief niet zo ben begonnen, en met reden. Nadat ik de hierboven geschetste overpeinzingen stap voor stap de revue had laten passeren, vond ik dat ik uit eerbied voor u geen andere keuze had dan te proberen de klem zittende lades te openen, met bruut geweld open te wrikken, mocht dat nodig zijn. Maar op het moment dat ik het lemmet van een grote schroevendraaier in de spleet tussen een van de lades en het frame van de kast wurmde en me opmaakte om er stevig op te leunen, verloor ik hem in een ventilatierooster, de schroevendraaier viel daardoorheen. Hij vloog uit mijn hand, maakte een soort dubbele salto in de lucht, en dook zo het rooster in. Als ik op de grond ga liggen en mijn oog tegen het rooster druk, zie ik hem liggen op een richeltje, een halve meter lager in de schacht, maar ik kan er niet bij. Ik heb het geprobeerd met een klerenhanger, maar met die actie ben ik er alleen maar in geslaagd hem naar een nog precairdere positie op de rand van die richel te manoeuvreren, waarin het complete handvat en een deel van het lemmet boven een schijnbaar bodemloze diepte hangt. Nog een kwart millimeter verder en hij is voorgoed verdwenen. Ik heb erover gedacht het rooster dat het ventilatiegat bedekt, te verwijderen om er met mijn arm in te kunnen, maar toen kwam ik erachter dat het, dat rooster, vastzit met schroeven.

Heel betreurenswaardig allemaal. En om het nog erger te maken, lijd ik aan flauwtes. Ik word, gelukkig, meestal gewaarschuwd voor een aanstaande aanval doordat ik vlekken zie, donkere, vage schijven die door mijn gezichtsveld zweven. Dat is een angstige gewaarwording; die vlekken lijken een halve meter voor mijn gezicht heen en weer te schieten door de lucht en ik heb het gevoel dat ik, als ik zou willen, mijn hand uit zou kunnen steken en er eentje vastpakken. Ik stel me voor dat, als dat zou kunnen, het zou voelen als iets bontachtigs in mijn hand. Zodra ik die vlekken zie, probeer ik mezelf te positioneren in de buurt van iets zachts wat me op kan vangen, een bank bijvoorbeeld. Of, als ik op straat ben, de bloembedden, als die er zijn. Zo niet, dan ga ik op het trottoir zitten. Maar soms komen de flauwtes onaangekondigd als ik langs mijn bureau loop en dan sleep ik, als ik val, stapels spullen met me mee naar de grond. Dat is een deel van de reden dat het daar nu zo'n rommel is. Dat van die vloer had ik nog niet genoemd, de ongelooflijke rommel daar, omdat ik bang was dat het dan zou lijken alsof ik van het begin af aan ontmoedigd was en ik u de indruk zou geven dat ik het niet eens echt probeerde. Ik heb een afschuwelijk vermoeden dat uw document daar ergens tussen ligt, hoewel ik het door die flauwtes moeilijk met zekerheid kan zeggen, aangezien ik, telkens als ik me buk om te kijken, vlekken voor mijn ogen krijg. In plaats van inspecteurs kunt u volgens mij beter een of twee van uw meisjes sturen, om me te helpen met opruimen. Het zou ook fijn zijn als ze een paar grote plastic zakken meenamen, voor de spullen die we niet meer nodig hebben, en een schroevendraaier.

Beste meneer Freewinder, ik sta nu al veertig minuten met mijn elleboog tegen een muur geleund. Om te zorgen dat mijn pen in die houding blijft schrijven, moet ik om de tien woorden even stoppen en hem stevig schudden. En toch, ondanks alles, heb ik uw centrale vraag aangaande de financiële 'levensvatbaarheid' van het bedrijf nog niet beantwoord. U vraagt zich af of het hele zaakje op de fles gaat. Ik kan me inleven in uw zorgen, en als ik het had gekund, had ik met een ferm 'ja' of 'nee' geantwoord, om u niet nog ongeruster te maken. Maar eerlijk gezegd heb ik geen flauw benul. En dat is nu precies het punt dat ik de hele tijd probeer te maken, de reden dat ik maar doorratelde over de rommel, de flauwtes et cetera; 'doorzeverde', zoals het in uw ogen moet hebben geleken, over dingen die niet al te interessant zijn en die u mogelijk deprimerend zult vinden. Bent u ervan op de hoogte dat ik een literair tijdschrift uitgeef dat in het hele land gelezen wordt, een tijdschrift dat enorm veel van mijn tijd in beslag neemt? Bent u zich ervan bewust dat ik daarenboven een eigen literaire roeping heb en mijn wakende uren beter kan besteden dan met het bij elkaar harken van huuropbrengsten en het ontstoppen van wc-potten? Waarschijnlijk niet. Sinds ze de benen heeft genomen, heb ik me door omstandigheden gedwongen gezien me te bedienen van de meest primitieve – maar om die reden ook de meest beproefde – zakelijke praktijken, het telraam daargelaten. Als er geld binnenkomt, stop ik dat in een jampot. Het is een grote jampot van helder glas, dus er kan een hoop in, mocht dat ooit gebeuren, en ik kan in één oogopslag zien hoeveel erin zit. De post wordt elke dag bezorgd. Als er een rekening bij zit, kijk ik in de pot om te zien of ik hem kan betalen. Als dat het geval is, doe ik dat. Zo niet, dan leg ik hem op het bureau. Om een zekere mate van eerlijkheid te bewaren – het oude principe van 'wie het eerst komt, het eerst maalt' – probeer ik die, met behulp van een keukenmes, onder in een van de stapels te steken. Ik haal soms ook geld uit de pot om dingen voor mezelf te kopen – etenswaren en artikelen voor mijn persoonlijke hygiëne. Op dat punt ben ik echter bijzonder scrupuleus: ik vervang de onttrokken fondsen altijd door een velletje papier met daarop het exacte bedrag en de datum. Dus, om terug te komen op uw vraag of The Whittaker Company bankroet of niet bankroet is, kan ik hooguit vermelden wat ik op dit moment in de pot zie: verscheidene bankbiljetten, waaronder ten minste een van vijf dollar, en een groot aantal velletjes papier.

Tot slot wil ik graag opmerken dat het me deugd doet dat American Midlands ons nog steeds als een partner ziet. Ik ben op mijn beurt ook altijd bereid om met ú samen te werken, om samen vooruit te komen.

Hoogachtend,
Andrew Whittaker

§

Beste Dahlberg,

Ik zie met de beste wil van de wereld niet in wat een ontmoeting tussen ons beiden zou bewerkstelligen. Je hebt alles wat ik te zeggen heb al gehoord. Je klaagt over het feit dat je geen vakantie en geen geld hebt, dus wat heeft een dergelijke lange reis DAN VOOR ZIN? We hebben hier absoluut geen ruimte, dus je zou zelf een hotelkamer moeten betalen.

Andy

¶

Beste Fern,

Hoewel ik weet dat meneer Crawford, zoals je herhaaldelijk hebt geschreven, een 'ontzettend belangrijk figuur' in je leven is geweest, was ik hier niet op voorbereid. Ik nam gewoon aan dat je een vriendin van school had gevraagd de camera voor je vast te houden. Ik kan nog steeds niet bevatten waarom je dat zo 'verschrikkelijk gênant' vindt, terwijl je oude leraar Engels hetzelfde vragen dat niet is. En ik begrijp ook niet wat je bedoelt als je schrijft dat hij de 'voor de hand liggende' persoon was om het aan te vragen, omdat hij 'toch op de begane grond was'.

Ik wil niet onaardig klinken. Ik weet best dat het ontspannender voor je moet zijn om je geen zorgen te hoeven maken over de zelfontspanner – ik was tenslotte degene die zag wat het probleem was. En wat betreft de aanwezigheid van meneer Crawford, aangezien ikzelf een enthousiast amateurclown ben – heb ik je dat weleens verteld? – weet ik hoe stimulerend een live publiek kan zijn, hoe schamel of bejaard ook. Daarmee wil ik natuurlijk niet suggereren dat meneer Crawford om je lachte. Integendeel, wat dééd hij eigenlijk? Zodra ik me die vraag stel, word ik belegerd door een zwerm beelden voor mijn geestesoog, en ik doe nu mijn best die dood te meppen. Hij mag dan op de begane grond zijn geweest en alles van camera's weten, maar weet je zeker dat hij hier de aangewezen persoon voor is? Hoe óúd is hij eigenlijk?

De plannen voor het festival razen voort. Het breidt zich *as we speak* in ijltempo uit. Hier op kantoor hebben we de blik op oneindig en ons verstand op nul; het zwelt voor onze ogen op. Hoewel we tegen de grond worden geslagen door de kwabben van de gigantischheid ervan, worstelen we er toch mee. We hebben commissies ingesteld om de verschillende aspecten en aanhangsels ervan onder controle te houden. Denk je dat botsautootjes *de trop* zouden zijn? Ik zat te denken dat we de auto's naar literaire modes konden vernoemen: Romantiek, Realisme etc. – en dan zou de bezoeker zijn favoriete stroming kunnen kiezen en daarmee tegen de andere aan botsen. Heb je Rimbaud gelezen?

Op de laatste dag komt er een optocht met enorme papier-machépoppen van grote schrijvers. Die laten we door plaatselijke scholieren maken bij handvaardigheid (ik verwacht de hele gemeenschap wel bij een of ander onderdeel van deze gigantische onderneming te kunnen inzetten). Naast de lezingen en de kermisattracties zullen er ook olifanten zijn. En een optocht, uiteraard. Je hebt geen idee hoeveel het kost om zelfs maar één olifant te huren, en die te voederen zolang je hem hebt, dus ze kunnen niet alleen maar staan eten. Het hoogtepunt van de optocht, het *pièce de résistance*, dat denk ik ergens halverwege de stoet zal komen, wordt een magnifieke, met bloemen beklede boei met een prachtige vrouw erop die achterover zal liggen op een triplex replica van een opengeslagen boek. De titel van het boek zal duidelijk leesbaar zijn – *Duizend-en-één-nacht* –, in gekleurde knipperlichten. Op die manier zullen zelfs de halfgeletterden en boerenlui van kilometers uit de omtrek, die in drommen af zullen komen op de geruchten over olifanten, Scheherazade herkennen, de concubine van de literatuur, minnares, muze en verhalenvertelster, doorschijnend in Perzische zijde. Het zal dezelfde vrouw zijn die ik de avond ervoor, onder oorverdovend applaus van de notabelen, op de trappen van het gemeentehuis tot 'Miss Soap' heb uitgeroepen. Telkens als ik aan die persoon denk, schiet me de foto van jou in dat gewaad te binnen en blijft daar plakken als een nat boomblad. En dat je een auteur bent, maakt het dubbel perfect. Zou je daarmee instemmen? Het festival zal uiteraard al je onkosten vergoeden, inclusief je kleding (of gebrek daaraan – ha ha) en maaltijden. We hebben een strak schema, het tempo is koortsachtig en de dagen zullen (hoop ik) zonovergoten zijn. Ik moet je antwoord gauw weten.

Andy

❡

sokken
cheques
sleutels bij laten maken
ander soort afhaalmaaltijden
komende vijf dagen
toiletpapier
spons
wodkamix
overig

❡

Dahlberg,

Ik VERBIED je te komen. Het feit dat we het niet eens zijn over bepaalde artistieke zaken, betekent nog niet dat er 'een hartig woordje' met me gesproken moet worden. Wat bedoel je daar trouwens mee? Ik ben ziek. Ik kan hier geen gasten over de vloer hebben. Vergeet het nou maar.

Andy

❡

Lieve Jolie,

Mijn laatste brief aan jou liep over van de warme gevoelens, en als reactie krijg ik dan die foto – een interessante les in de kunst van het mes in de rug steken. Maar je lijkt te zijn vergeten dat er inmiddels een dikke eeltlaag op mijn meest kwetsbare orgaan zit. Dankzij die laag heeft je lemmet niet binnen kunnen dringen, hoewel ik wel bloed. Ben je ook je eigen reactie vergeten toen je een paar jaar geleden die foto in de krant zag van Quiller op zijn motor? Om je geheugen even op te frissen: er klampte zich een in leer gehulde Lolita met een muizengezichtje als een babyaapje vast aan zijn rug, en boven de foto stond de kop: BESTSELLERAUTEUR OP VOLLE TOEREN. Ik geloof dat ik spottend lachte. En volgens mij zei jij toen: 'Arme Marcus, wat gênant.' En vervolgens grinnikte je. En nu zit jíj daar. Eigenlijk zou ik nu in een hiklach moeten schieten, maar dat ben ik verleerd. Waarom vertel je me nú pas hoe heerlijk je je in leer voelt? Wat moet ik met die informatie?! Wat moet ik met deze foto? Hem aan iedereen laten zien? 'Kijk, daar heb je mijn ex op de Harley-Davidson van die beroemde, op een Pulitzer jagende, kontkussende poseur Marcus Quiller?' Je bent toch geen achttien meer? Heb je enig idee hoe belachelijk je eruitziet? Wil je me met die beelden kwellen? Denk je dat dat me stimuleert om mijn schouders eronder te zetten en 'iets te doen' aan die panden, zoals jij suggereert? Ik dóé er ook iets aan, en dat helpt niet. In plaats van dat ik het geld met bakken tegelijk binnenhaal, kruip ik op handen en voeten door het huis, bang om op te staan, uit angst dat er zware voorwerpen met hoge snelheid door het raam zullen komen. Er loopt hier ook een oversekst vrouwspersoon met een vlammenwerper rond, om van haar echtgenoot nog maar te zwijgen, die gifkikker. Ik probeer mijn rug recht te houden. Nee, ik probeer juist zo laag mogelijk te blijven. De nachten worden steeds kouder. Waar moet ik het geld vandaan halen voor de verwarming hier, als het straks winter wordt?

Zoals je uit het bovenstaande kunt afleiden, ervaar ik op dit moment in mijn leven een zekere weifelachtigheid, in de zin van: 'Zou ik er spijt van krijgen als ik me een kogel door mijn kop zou jagen?' Het huis voelt meer en meer als een eenzame plek. Naar mijn idee zijn mensen die in huizen wonen waar ze, als ze iets roepen, antwoord kunnen verwachten, ongelooflijke mazzelaars. Ik ben inmiddels met mijn handen gaan eten, omdat ik het getik van het bestek op het bord niet meer kan verdragen. Dat doet te veel denken aan iemand die alleen eet.

Ik heb geen hysterische buien, en hoe durf je mijn mieren aanstellerij te noemen?

Andy

§

Pistool tegen de slaap
Pistool in de mond
Pistool tegen het hart
Pistool op de voet
Pistool op de voet en sepsis
Ophanging, verdrinking
Lysol

§

VEILIG EN BETAALBAAR! 2711 General Sherman Highway. App. met 1 bdkmr in bakstnen gbw. Gedeeltelijk gemeubileerd. Nieuw schilderwerk. Incl. verwarming. Frisdrankautomaat in de kelder. Op 10 min. afstand van hondenrenbaan, 15 min. van Johnson Sheet and Girder. Huisdieren en lawaaischoppers niet toegestaan. $110.

§

Beste Harold,

Wat fijn dat je mijn idee voor een woordenboek van pijn aardig vindt. Ik ben, op mijn beurt, geïntrigeerd door jouw idee van een appendix over de uitspraak van dierengeluiden, en vooral door je suggesties over hoe die kreten getranscribeerd zouden kunnen worden. Toen je schreef dat die kreten steeds

maar door je hoofd spookten terwijl je met je dagelijkse klus-
jes bezig was, stelde ik me voor dat je allerlei brullen, krijsen
en fluitjes uitstoot, terwijl je over de velden stuitert en er hele
roedels opgewonden beesten achter je aan rennen. Zoals je
terecht opmerkt klinken sommige van die roepen bijna menselijk. Ik had me niet gerealiseerd dat het leven op de boerderij zo gruwelijk kon zijn, en ik vind het heel erg van je kleine
jongen.

Dat doet me denken aan een grappig verhaal dat ik je bijna
had verteld in mijn vorige brief, over pijn en hoe we daar wel
of geen uitdrukking aan geven. Het sluit mooi aan bij wat je
vertelde over hoe moeilijk jij en Catherine het in het begin
hadden. Het zijn eigenlijk twee verhalen, of een verhaal in
twee delen, waarvan eigenlijk alleen het tweede deel grappig
is.

Jolie en ik waren nog geen twee jaar getrouwd toen haar
stiefvader overleed en ons wat geld naliet, hoewel het niet het
bedrag was dat we verwacht hadden. We hadden, gewoon
voor de grap, de gewoonte aangenomen het een fortuin te
noemen, als in 'Wacht maar tot John zijn fortuin maakt'. En na
een tijdje begonnen we er zelf in te geloven. Maar uiteindelijk
was het geen fortuin, en we hadden het binnen een halve zomer uitgegeven in Parijs in plaats van in een vol jaar, zoals we
van plan waren geweest. Jolie wilde heel graag naar Rome,
waar haar echte vader begraven ligt (hij is gesneuveld in de
oorlog), en volgens mij begon het ermee dat ik erop stond dat
we naar Parijs gingen. Ze is, ook al heeft ze een heel prettige
buitenkant, in wezen een stuurs type vol koele wrokkigheden.
Hoewel ik verliefd op haar was, wist ik zelfs toen al dat ze niet
in alle opzichten een aangenaam iemand was. Haar gevit en
geroddel onderweg op de boot – waarbij ze er constant op
wees dat het uiteindelijk háár geld was – hadden me, tegen de
tijd dat we in Parijs aankwamen, zo uitgeput dat het nauwelijks een verrassing mocht heten dat ik ernstig ziek werd, en
ons allebei in verlegenheid bracht door het avondeten eruit te
gooien op de Boulevard Saint-Germain. Ik heb daarna zeker

tien dagen op bed gelegen in ons kleine appartementje.

Jolie liet hierdoor, als de onvermoeibare toerist die ze was, of leek, haar plannen niet in de war schoppen. En ik beaamde dat ze dat ook niet moest laten doen, hoewel ik me eigenlijk verraden en in de steek gelaten voelde. Elke ochtend daalde ze de vijf nauwe, houten trappen af naar de straat om koffie te drinken en een croissant te eten in een armoedig bistrootje op de hoek, en dan kwam ze terug met een grote fles Vichybronwater voor mij. Naar de strikte instructies van de *patronne* van die bistro (Jolie: 'Franse mensen weten álles van dat soort dingen.') moest ik de hele dag, met regelmatige tussenpozen van een halfuur, slokjes water nemen en vervolgens een heel glas met een gekookte aardappel als eten. Als ze me het water had gegeven, kuste ze me snel gedag en vervolgens beende ze, met haar Fodor's bij de hand, haar avonturen tegemoet. Afgezien van vreselijke steile afdalingen naar de stinkende wc op de gang, bleef ik de hele dag op mijn plek, een gevangene in ons luciferdoosje van een appartement. Ik dutte een beetje of zat mismoedig uit het keukenraam te staren naar de stomme duiven op de daken aan de overkant, en wachtte op de avond en haar terugkomst.

De eerste paar dagen, zand in de ogen gestrooid door haar manier van doen (de prettige buitenkant die ik eerder al noemde) en door de gedachte dat ik Jolie natuurlijk kende, vermoedde ik niets. Als ze laat in de middag thuiskwam, tjilpend als een winterkoninkje, dan schopte ze haar schoenen uit – 'volkomen bekaf' van het 'gesjouw' door heel Parijs – en ging ze bij me op bed zitten, als ik in bed lag, of op de vloer in de gang, met haar rug tegen de wc-deur, als ik daar was, en praatte tegen me over alle plekken die ze had bezocht. Hoe kon ik vermoeden dat ze de beschrijvingen uit de reisgids jatte? Goed, als ze me 's morgens voor ze vertrok gedag kuste, deed ze dat op mijn voorhoofd in plaats van op mijn lippen zoals eerst; dat merkte ik wel op, maar ik dacht dat ze gewoon mijn bacillen wilde vermijden. De geur verried haar uiteindelijk. Mijn reukvermogens zijn normaal gesproken tamelijk beperkt – ik moet een roos in een neusgat proppen om hem te ruiken. Maar misschien had de reinigende smakeloosheid van gekookte aardappelen en het Vichywater ze aangescherpt. Feit is dat een geur haar verraadde. Goedkope hotels in Parijs hadden in die dagen geen badkuipen of zelfs douches – ik bedoel het soort hotel waartoe beknibbelende minnaars en minnaressen voor een middagje hun toevlucht zouden nemen – en Jolie had, onschuldig als ze was, geen idee wat ze met een bidet aan moest. Op een ochtend kroop ik onder de lakens, op zoek naar mijn sokken, toen de waarheid me daagde.

Om een lang verhaal kort te maken – eigenlijk was het helemaal niet zo'n lang verhaal; het leek alleen maar alsof het een eeuwigheid duurde – we raakten verzeild in een ménage à trois met de jongen Gustav Lepp, een docent aan een lagere school vlak bij ons appartement. (Dit is niet het grappige deel.) Jolie had hem op onze tweede dag in Parijs ontmoet in de ontbijtbistro. Hij was zo iemand met wie je een avond door kon brengen en van wie je dan volkomen gecharmeerd kon raken, ingepalmd door zijn humor, zijn eruditie, het feit dat hij *zo ontzettend geïnteresseerd in je lijkt*, om vervolgens de volgende ochtend wakker te worden met het gevoel dat je bent beetgenomen. Hun affaire duurde zeven weken. Zelfs nu herinner ik me nog, als de dag van gisteren, tot in elk afgrijselijk detail hoe ik, als verlamd, luisterde naar de kreetjes en zuchten die uit de slaapkamer kwamen, anderhalve meter vanaf de keukentafel waaraan ik in de koffie naar mijn eigen gezicht zat te staren. Het maakte onderdeel uit van de ideologie van die tijd dat dit soort gedrag normaal was, wenselijk zelfs, en om te voorkomen dat ik zou jammeren van ellende, propte ik mijn mond vol met brood. Als ze eindelijk ophielden en glinsterend van het zweet tevoorschijn kwamen om zich bij mij in de keuken te voegen, draaide ik me om naar de gootsteen en deed alsof ik een glas water pakte, en daar liet ik het brood geluidloos uit mijn mond vallen en duwde het met een lepel door het afvoerputje, terwijl zij aan tafel gingen zitten om jam op het hunne te doen. Dat is de reden dat ik geen witbrood meer eet, maar alleen volkoren en roggebrood. De herinneringen die me overspoelen zodra ik het proef, maken het me onmogelijk te slikken. We kwamen op de een of andere manier die zomer door, hoewel die voor mij grondig was verpest. En dat is, vermoed ik, van begin af aan Jolies doel geweest. Het was haar manier om erop te wijzen dat we naar Rome hadden moeten gaan, waar dit allemaal niet zou zijn gebeurd. Als ik niet achter die twee aan zeulde, als het lastige derde wiel aan de wagen, dan volgde ik hen op een afstandje om obsessief elke kus en elke streling te observeren. Als gevolg daarvan heb ik bijna niets van Parijs gezien – niet het Louvre, zelfs niet de Notre Dame. Ik moet vele malen langs beide plekken zijn gelopen, maar ik zág niets, verblind als ik was door de visoenen die mijn gedachten vulden. Gelukkig was ons geld in augustus op. Toen we terug waren in de States probeerden ze elkaar te blijven schrijven, maar na een paar maanden bloedde dat vanzelf dood.

Er gingen jaren voorbij, en ik was ervan overtuigd dat het ergste achter de rug was. Jolie en ik konden samen *beignets de courgettes* bereiden, weer samen van Franse films genieten en er zelfs na afloop over praten zonder te schreeuwen. En toen stond Gustav Lepp op een zondagochtend vijf jaar geleden ineens onaangekondigd bij ons op de stoep. Ik hoorde opwinding in Jolies stem toen ze open had gedaan, en ik hoefde mijn blik niet eens op te slaan van de ochtendkrant om te weten wie het was. Hij was niet veranderd, alleen nog meer zo geworden. Nog geestiger, nog charmanter, nog gebruinder, nog ijdeler en, als dat kan, nog langer. Ik zag er ondertussen steeds meer uit als een kaartjesknipper in de metro, inclusief het buikje, het lelijke gebit en de slecht passende broek. Hij had een boek geschreven, *Over de fenomenologie van de lust*, en was blijkbaar beroemd geworden in een of andere psychotische niche van de academische wereld. Hij kwam even langs op weg naar een baan als lector in Californië. Dus we nodigden hem uiteraard uit om te blijven lunchen. Het was geen onplezierige maaltijd – we waren destijds tenslotte praktisch mensen van middelbare leeftijd. We hadden het, uiteraard, over lust. Althans, daar had hij het over, terwijl ik hun voeten onder tafel in de gaten hield.

Na de lunch ging ik zoals gebruikelijk afwassen, omdat Jolie gekookt had, terwijl zij hun koffie meenamen naar het terras. Ik had hen dat afgeraden, omdat het me nogal kil leek – het was tenslotte oktober –, maar ze poeierden me lachend af, waarbij Gustav Lepp iets terugriep over *la chaleur d'amitié*. Ik dacht dat ik het allemaal achter me had gelaten, maar tot mijn verrassing, tot mijn verbijstering eigenlijk, voelde ik op dat moment zo'n vlaag van onverklaarbare woede dat ik me gedwongen zag me om te draaien naar de gootsteen, alweer! Ik stak beide handen diep in het zepige water en greep de rand van een grote dekschaal op de bodem stevig vast. Hoewel het water pijnlijk heet was, bleef ik zo staan, met gebogen hoofd, tot het nare gevoel was afgezakt en ik de boel kon gaan opruimen. Daar was ik bijna mee klaar toen Jolie weer binnenkwam, naar ik hoopte voorgoed, maar ze kwam alleen maar de *Sunday Times* en een paar dekens pakken, zodat ze nog wat langer op het terras konden blijven. Ze drong erop aan dat ik bij hen kwam zitten, maar daar zag ik van af onder het voorwendsel dat het aquarium dringend schoongemaakt moest worden.

Het aquarium stond naast een raam dat uitkeek op het terras, en terwijl ik ernaast neerknielde en algen van het glas begon te schrapen, zag ik geamuseerd hun golvende gestalten door het water heen. Ze leken, zij aan zij op ligstoelen op het terras, te verdrinken tussen de goudvissen en guppen. Er lag een berg krantenpapier tussen hen in, waaruit ze allebei hun favoriete katern hadden gehaald: Jolie Kunst & Cultuur en Gustav Lepp het weekoverzicht. Ik keek toe hoe ze pagina's omsloegen, hun armen naar hun borst brachten en ze weer vooruitstaken, en ik dacht aan vlinders die langzaam met hun vleugels sloegen, terwijl ze verdronken. Ik keek gefascineerd hoe een grote, zwarte slak naar Gustav Lepps (zag ik nu) licht kalende hoofd kroop.

Kort daarop hoorde ik het geanimeerde gemompel van een

hernieuwde conversatie. Ik liet de vissen achter – ik was bijna klaar, en het was een klusje dat Jolie sowieso altijd deed –, glipte door de voordeur en liep om, over de oprit die nog nat was van een regenbuitje van die middag, op mijn tenen het terras op. In mijn hand had ik een speld die ik de dag ervoor had opgepakt van de vloer en op de schoorsteenmantel had gelegd, toen ik hem op weg naar buiten toevallig had zien liggen. Terwijl ik dichter bij het terras kwam, realiseerde ik me dat ik mijn schoenen net zo goed aan had kunnen laten; ze gingen helemaal op in hun gesprek – over Jolies plannen nu ze had besloten dat ze zou gaan schilderen – en hadden niet in de gaten dat ik naderde. Ik had gelijk gehad over de kou, *en plus*, mijn sokken waren inmiddels ook nog eens doorweekt geraakt. Ik liet me op handen en knieën vallen (ik schreef bijna 'als een panter') en kroop over de tuintegels tot ik vlak achter de stoel van Gustav Lepp zat. Hij zei tegen Jolie: 'Het is, vind ik, belangrijk om zichtbaar te zijn voor het publiek, iemand te zijn los van je echtgenoot en wat tenslotte zíjn werk is. Dat is gewoon logisch.' Na het woord logisch hief ik mijn speld en prikte hem zachtjes in zijn nek. Het was bedoeld als niet meer dan een muggenbeetje, dus je kunt je mijn plezier voorstellen toen hij zijn hand naar achteren bracht, en op de plek sloeg. Mijn volgende prikje was aanzienlijk assertiever. Jolie was aan het woord – 'Ja, precies, ik heb altijd de behoefte gehad me te uiten. In mijn eerste jaar als studente ...' – toen ze werd onderbroken door een Gallische kreet van pijn: '*Aïe!*' Ze zweeg halverwege een zin. 'Gustav Lepp, wat is er?' Op dat moment kon ik mijn lachen niet meer inhouden, hij barstte door mijn op elkaar geklemde lippen heen, die helaas nogal rijkelijk bedekt waren met speeksel. Gustav Lepp draaide zich om, keek op me neer op de plek waar ik op mijn hurken zat te grijnzen en met mijn hand mijn kin afveegde. Hij zei, nogal humorloos: 'Ik geloof dat je dit je troef uitspelen noemt.' Later maakte ik van die zin een onderling grapje tussen Jolie en mij. (Dit is het grappige deel.) Als zij er iets uitflapte wat ze geestig vond, dan zei ik met mijn beste Franse accent: 'Iek gelof dat je diet je truf uutspelen noemt.' Binnen de context was dat vaak erg gevat, hoewel het Jolie leek te ergeren. Ik deed het uiteraard nooit als ze inderdaad iets geestigs had gezegd, en vaak redde mijn kleine vondst de situatie, zorgde alom voor glimlachen, waar anders alleen maar gêne en lege blikken hadden geheerst.

Nou, Harold, ik ben nu al een hele tijd bezig om je dit allemaal te vertellen – mijn kleine Olivetti rookt ervan – en nu vraag ik me af waarom ik die moeite heb genomen. Goed, ik dacht aan pijn, en in een eerdere brief heb ik het al eens gehad over hoe Franssprekenden daar uitdrukking aan geven. Het brein, heb ik gemerkt, springt van de hak op de tak, zeker de laatste tijd, maar dat rechtvaardigt nauwelijks het intieme verhaal dat ik je zojuist heb verteld. Vind je dat ongepast? Ik denk dat ik het makkelijk vind om tegen jou te praten, omdat ik me je niet al te goed herinner. Het is net alsof ik tegen de meubels praat, met als bijkomend voordeel dat de meubels in jouw geval begrijpen wat ik zeg, of in elk geval doen alsof. Sinds ik je heb geschreven, probeer ik je me steeds voor de geest te halen. Eerst zag ik dan altijd dat mollige ventje met rode wangen voor me dat ik elke zondag versloeg met pingpongen, maar ik wist natuurlijk dat je dat niet meer kon zijn, dus heb ik geprobeerd het beeld bij te stellen met de stukjes informatie die je me in je brieven hebt gegeven, waardoor ik nu, vagelijk ben ik bang, ben uitgekomen op iemand in een overall.

Je oude vriend,
Andy

ʃ

Dahlberg,

Je zult me niet thuis aantreffen. Ik ga overwinteren in Italië. Ik heb iets in mijn borst. Als je, nadat je je vuisten blauw hebt geslagen op de deur, besluit om te lopen en door het zijraam te turen, doe dan alsjeblieft voorzichtig als je door de bloembedden loopt, die ik opnieuw aan het inzaaien ben. Ik heb ook aan de politie gevraagd een oogje in het zeil te houden, dus ik zou maar proberen er niet al te verdacht uit te zien.

Arrivederci,
Andrew

§

Adams knokkels waren wit, want hij greep het stuur van de grote pick-up vast met een woede die geboren was uit de wetenschap dat zijn auto op datzelfde moment weleens aan de haak van een gehavende sleepwagen kon hangen. Of misschien was hij al losgemaakt, waarbij hij de grond had geraakt met een bons die de voorste schokdempers en de kwetsbare aandrijfas had beschadigd. Hij wist dat alles mogelijk was. Ze konden hem tijdens het slepen in een versnelling hebben laten staan en de automatische transmissie hebben beschadigd, schade die pas jaren later aan het licht kon komen. Hij dacht aan alle minutieus afgestelde versnellingen, de piepkleine klepjes, de fragiele pakkingen, complexe hendels en koppelomvormer die samen moeten werken in een soepel schakelende automaat van Europese makelij, en hij huiverde. Flo, die vlak bij hem zat, hield even op met het rukken aan haar gescheurde blouse en keek op. Ze zag de op elkaar geklemde kaken, de witte knokkels en de roekeloze vaardigheid waarmee hij de grote truck over het smalle asfalt manoeuvreerde, en ze vroeg zich af wat de bron was van de gewelddadigheid die al zijn bewegingen leek te bezielen. Ze had zichzelf tenslotte gewillig aan hem overgegeven, zoals ze had gedaan aan de meeste mannen die haar maar even de kans gaven – in auto's, in het grind achter tankstations, in tenten, schuren, wc-hokjes, telefooncellen en ooit zelfs een keer in een Ford Torino met twee politieagenten – en toch had hij per se haar kleren van haar lijf willen scheuren, inclusief haar onderbroek, die zo aan flarden was dat ze hem in het gras voor het hutje had moeten laten liggen, en het geborduurde bloesje met pofmouwtjes, dat ze nu met één hand dichthield, terwijl ze met de andere Adams dij streelde terwijl hij zijn voet stevig op het gaspedaal hield. Gewelddadigheid maar ook een stille bitterheid. Ze voelde vaagjes dat de donkere krachten die hem dreven hun wortels hadden in een verleden dat voor haar nog een gesloten boek was. Ze vroeg zich net af of hij misschien was misbruikt door een naast familielid toen hij nog een kind was, toen ze bij een kruising kwamen. 'Naar links,' riep ze. Terwijl hij afremde om de bocht te maken, reikte hij naar de versnellingspook. 'Pardon,' mompelde hij, terwijl hij tussen haar dijen tastte naar de pook. Toen hij die gevonden had, schakelde hij soepeltjes naar de tweede versnelling, en vervolgens, terwijl de truck weer op snelheid kwam, trok hij de pook weer naar achteren, in z'n drie, voor hij zijn knokkelgreep op het stuur hervatte, terwijl Flo haar dijen weer sloot om de vibrerende knuppel van de versnellingsbak. Ze keek naar de sterke, dik geaderde handen en de rijen witte knokkels om het stuurwiel, en ze dacht aan de kleine eitjes die de kippen hadden gelegd nadat ze ziek waren geworden, als ze al eieren legden, wat de meeste niet lukte. En zelfs als ze het wel konden, legden ze ze natuurlijk lukraak, op de plek waar ze toevallig stonden als ze aandrang kregen, en nooit in nette rijtjes van vier, zoals Adams knokkels.

Nu raakte ze bevangen door een nieuwe bezorgdheid. Ze draaide in haar stoel om achterom te kijken naar de John-Deerezitmaaier op de trailer, want hij stond op een trailer en niet in de laadbak van de truck zoals eerst, die achter hen aan hobbelde en visstaartte, en van die aanblik huiverde zij ook. Ze wist dat, afgezien van zijn zevenendertigdelige almanakverzameling en haar moeders haarborstel waarin nog een paar grijze haren verstrengeld zaten als weemoedige aandenkens, de grote John-Deerezitmaaier haar vaders dierbaarste bezit was. In het eerste afgrijselijke jaar na het ongeluk troffen bezoekers aan de boerderij de ooit krasse, oude boer meestal terneergeslagen ineengedoken aan in een oude schommel-stoel op de rottende veranda, waarbij hij hooguit zijn ver-weerde hoofd hief om met regelmatige tussenpozen om zijn dochter te roepen, die steevast buiten gehoorsafstand zat te melken in de koeienstal of anders wel in de hooischuur lag met een van de vele bezorgers die met toenemende frequentie plachten langs te komen, net als verkopers van uiteenlopende nutteloze artikelen en een hulpsheriff. Of anders, als hij geen antwoord van haar kreeg, probeerde hij misschien tevergeefs zijn rolstoel door het diepe zand in de tuin te rijden of hij zat, als het de avond ervoor geregend had, tot zijn assen weggezakt vast, en dan sloeg hij met zijn vuisten op zijn armleuningen en riep tegen zijn dochter dat ze de pick-up moest halen om hem eruit te trekken. Doordat hij op die manier beperkt was, voelde de trotse oude man, die voordien nooit een helpende hand van wie dan ook had hoeven vragen, zich ernstig geklei-neerd. Soms zei hij dat ook met zoveel woorden tegen zijn dochter, als ze naast hem neerknielde om een touw aan zijn stoel vast te binden. 'Ik voel me ernstig gekleineerd, dochter,' zei hij dan. 'En als ik de ellendeling kon vinden die me heeft aangereden, dan zou ik zijn lul eraf knallen en hem die laten opeten, en daarna zou ik hem afmaken.'

Flo maakte zich zorgen om de bitterheid die hij de laatste tijd zo vaak uit zijn mond spuugde, en ze zocht koortsachtig naar een manier om zijn leven prettiger te maken, en op een dag kwam ze op het idee de grote maaier uit de schuur te slepen en vol te gooien. Vanaf het moment dat hij, met veel vertoon van witte rook en aanzienlijke naontsteking, hoestend tot le-ven kwam, waren haar vaders dagen niet meer hetzelfde. Er kwam, geestelijk gesproken, een nieuwe veerkracht in zijn tred en, als hij zijn slijm eenmaal had opgegeven, een opge-wekte klank in zijn stem als hij bij het eerste ochtendgloren om zijn ontbijt riep. Na zijn eieren met spek of worstjes, hielp Flo hem op de maaier. Als hij er eenmaal op zat, reed hij de hele dag rond, waarbij hij alleen pauzeerde voor het middageten, om even naar de wc te gaan of te tanken bij de grote rode benzinepomp die naast de schuur stond, en hij kwam er pas af als de bol van de zon in het westen bloedrood was geworden. Hoe ziek en ernstig verzwakt ze ook waren, de overlevende kippen waren er toch in geslaagd elk grassprietje in de tuin en de meeste zinnia's op te eten, dus daar viel niet veel meer te maaien. Nadat hij een paar weken in stofwolken rond had gereden, was die ouwe het zat, dus maaide hij de stokrozen weg die Flo's moeder naast het huis had geplant, net als het grootste deel van het struikgewas, hoewel de maaier uiteindelijk vastliep op een grote seringenstruik naast de veranda, waarna Flo hem eruit moest trekken met de pick-up. Nadat ze een nieuw maaimes hadden besteld in de stad, en een van de verkopers langs was gekomen om te helpen dat te monteren, begon hij de grasbermen van de landweg voor de boerderij te maaien. Dat was eigenlijk een taak van de gemeentewerkers, die daar ook rijkelijk voor werden betaald, maar door zijn messen lager af te stellen dan zij konden, wist hij hen altijd te overtreffen. Als ze niets meer konden vinden dat hoog genoeg was om lager te maken, bleven ze maar zo'n beetje staan krabben en praten tot de lunch, en vervolgens reden ze hun grote maaiers de gele trucks weer op en dan vertrokken ze. Na een paar maanden, toen ze zagen dat ze erop konden rekenen dat die trotse, oude boer de boel netjes bijhield, kwamen ze helemaal niet meer. Maar de berm, die hij nu helemaal tot aan de rand van Parkersville maaide, was niet genoeg voor de energieke oude man, en hij begon er een gewoonte van te maken het erf van naburige boerderijen op te rijden en alles te maaien wat hij daar kon vinden. Soms waren mensen blij dat hun gras gratis gemaaid werd, maar soms joegen ze hem ook weg met een sproei van de tuinslang of een regen van klonten modder.

Flo herinnerde zich dat allemaal toen ze zich plotseling omdraaide om te kijken naar de maaier die op de trailer achter hen aan hobbelde en ze vergat dat ze geen knoopjes meer had. De gescheurde blouse viel open en Adam merkte opnieuw op hoeveel haar borsten op die van Glenda leken. Ze hadden van dezelfde vrouw kunnen zijn, en hij was er een nachtmerrie-achtig moment lang van overtuigd dat ze dat ook waren. Flo hoorde hem scherp inademen, terwijl hij worstelde met die gedachte. Hij raakte heel even de macht over het voertuig kwijt. Maar die had hij snel weer terug. Hij liet een hanen-staart van grind op de berm neerkomen, terwijl hij uit de slip stuurde. De trailer schoot met een klap weer op de weg, waar-door de maaier de lucht in ging, en toen hij weer op de trailer neerkwam hing er een wiel draaiend langszij. 'Straks glijdt ie weg,' riep Flo, maar Adam luisterde niet, want hij raasde weer grimmig over een recht stuk weg, met gespannen kaakspieren. Ze vroeg zich af of hij aan het kauwen was of zo, misschien op een grasspriet die hij had geplukt terwijl ze in een wilde om-helzing verstrengeld waren voor het hutje of misschien daar-na, toen zij binnen op zoek was naar een veiligheidsspeld. Ze liet haar blik in een langzame streling van zijn kaak naar zijn schouder glijden en zag voor het eerst hoe dik zijn nek was. Ze stond wederom versteld van de durf van haar keuze, zoals ze dat eerder ook al had gedaan bij andere mannen en jongens, haar tweelingneefjes bijvoorbeeld, zij het niet in dezelfde mate.

Precies op dat moment maakte de weg een wijde bocht naar links en Adam zwaaide erin zonder voorwaartse snelheid te minderen. Flo begon zijwaarts over de zitting te glijden, die bekleed was met glad, blauw plastic, want haar vader had zijn pick-ups niet bekleed met nutteloze luxe en had geweigerd te dokken voor leer, of een of andere zachte stof, ondanks de waarschuwingen van de verkoper dat zijn reet door dat plastic zou gaan zweten als een varken aan een spit. Ze greep instinc-tief de versnellingspook vast waar haar knie ook omheen ge-haakt zat. 'Laat die pook los, verdomme!' riep Adam. Dat was de eerste keer dat hij zijn stem tegen haar verhief sinds hij haar bij het hutje had opgedragen op handen en voeten te gaan zit-ten, en ze liet in haar verbijstering de versnellingspook los. Ze schoot over de zitting en sloeg tegen het portier aan de passagierskant, waar het hendeltje van het raam scherp in haar ribben stootte. Ze slaakte een gil van pijn. Maar Adam keek niet opzij, en ze bleef slap tegen de deur leunen, met een boze blik en een streng haar die vochtig over haar gezicht viel, tot ze bij de boerderij kwamen, want daar gingen ze heen. Adams woede werd echter algauw getemperd door bittere spijt, en hij glimlachte flauwtjes naar haar. Hij stond op het punt haar om vergeving te smeken toen ze plotseling riep: 'Hier is het, hier moet je in.' Adam stuurde de grote truck met een scherpe bocht naar rechts, een smalle, onverharde oprit op die naar de boerderij leidde. Op dat moment ging de John-Deeremaaier weer de lucht in, deze keer voornamelijk in zijwaartse richting, en hij knalde tegen het grote, houten, witbeschilderde bord aan met HAPPY DAZE MELKVEEHOUDERIJ erop, dat vervolgens versplinterde. Gelukkig vloog Flo in diezelfde bocht ook over de zitting tegen Adam aan, waarbij ze allebei weer de opwinding voelden van hun eerste aanraking.

Aan het eind van de lange oprit, omzoomd door de bladloze stoppels van bukshouten hagen, zagen ze de statige oude boerderij staan, waaraan dringend verschillende reparaties moesten worden uitgevoerd, genesteld onder twee grote eikenbomen. Adam reed de truck stapvoets, zodat het handjevol kippen dat in het grind stond te pikken opzij kon waggelen. Sommige vielen om als ze probeerden zich te haasten en moesten overeind geholpen worden door de andere. Her en der zag hij wat kauwgombalgrote eieren in het zand liggen. De kippen waren weggelopen en ze vergeten, zoals ze steevast deden sinds ze de ziekte hadden opgelopen.

Flo's vader zag hen naderen – hoorde ze voor hij hen zag door de klap van de John-Deeremaaier tegen het bord, hoewel hij niet wist dat dat was wat het was. Hij dacht in plaats daarvan dat een van de verkopers in een greppel was gereden, zoals ze in hun gretigheid soms deden – en hij kwam hen tegemoet met behulp van een flauwtjes aflopende hellingbaan die speciaal voor dat doel was gemaakt. Adam keerde de grote truck en kwam tot stilstand met het portier aan de bestuur-

derskant een paar meter van de rolstoel van de oude man
vandaan, waardoor de oude boer verscheidene minuten uit
het zicht verdween in de grote stofwolk die hen volgde. Door
die wolk, de golf van gehoest en de verwachting die daarop
volgde, kon Flo aan de passagierskant naar buiten glippen en
ongezien het huis in streaken, waar ze kort daarop uit kwam,
gekleed in een aantrekkelijke, tot de hals dichtgeknoopte zo-
merjurk.

'Adam Partridge?' zei de oude man, terwijl hij Adam hartelijk de hand drukte. 'De jongen van Estelle Partridge?' Adam
knikte. Hij ging op een boomstronk naast de stoel van de oude
man zitten, en deed de situatie uit de doeken.

'De Gebroeders Stint Sleepmaatschappij zal je auto hebben,
jongen,' zei de oude man omineus. 'Dahlberg Stint en zijn
broer Tiresome.' Hij spuugde in het stof naast zijn stoel, een
klodder slijm, waarop een paar kippen hoopvol aan kwamen
waggelen. Adam keek erop neer, terwijl ze lusteloos aan de
draderige bende trokken, en voor het eerst viel zijn oog op het
winchestergeweer dat in een leren holster aan de zijkant van
de rolstoel hing. Hij had aangenomen dat het waarschijnlijk
een grote paraplu was. De oude man ging verder: 'Die gasten
hebben 'm inmiddels hoogstwaarschijnlijk al gestript. Zaterdag ligt je radio/cassetterecorder op een tafel op de nieuwe
vlooienmarkt die ze in Kenosha houden. Je wieldoppen waarschijnlijk ook. Die jonge gasten hier vinden die Mercedes-
doppen machtig mooi. Ze verbuigen de randen een beetje, tot
ze op een Chevy passen.' Adam kwam dichterbij, en Flo, die
op de veranda erwten zat te doppen, verstond maar af en toe
een paar woorden van wat hij zei. Ze luisterde naar het kalme
kabbelen van hun gemompel en glimlachte als een hartelijke
lach of bittere vloek haar oren bereikte. Ze richtte haar blik af
en toe op van de erwten om naar hen te kijken: haar vader,
verweerd, kalm en stoïcijns in zijn lijden, en die jongeman,
kwiek en merkwaardig getormenteerd. Zo anders, en toch ...
Ze merkte de vierkante kaken op, de lange, rechte neuzen, de
kuiltjes in hun kin, en die vreemde combinatie van delicate

gelaatstrekken en dikke nekken. Het was Adam ook opgevallen, net als hoe de stem van de oude man was gebroken toen hij de naam 'Estelle Partridge' had uitgesproken, voor het eerst in drieëndertig jaar hardop. Op dat moment kon hij niet anders dan zich afvragen of zijn ouders echt alleen maar vanwege warme cola plotseling hun geboortegrond hadden verlaten en naar Californië waren verhuisd, of dat er iets duisterders achter school. En Flo vroeg zich op de veranda hetzelfde af, want Adam had haar het hele verhaal verteld toen ze in het gras lagen. Plotseling leken de oude eiken achter hen dreigend boven hen uit te torenen, als grote beesten die op hun achterpoten stonden, klaar om zich met alle gewicht van het verleden op hen te storten. Ze huiverden, Adam en Flo huiverden, en toch voelden ze tegelijkertijd vreugde in hun hart, nu ze de warme aantrekkingskracht van bloedverwantschap voelden. En onder de zich oprichtende eiken riepen ze elkaar, over de kippenren heen, zwijgend toe.

En in die stilte hoorde ze Adam zeggen: 'Ik ga die meneer Stint maar eens opzoeken. Ik wil mijn auto terug.'

Haar vader zei: 'Dan kun je deze maar beter meenemen, jongen.'

Adam nam het vuurwapen in zijn hand. Hij voelde hoe het in zijn handpalm lag, want het was een klein pistool. Hij voelde een vreemde kalmte over zich neerdalen. 'Zou ik uw truck nog een keer mogen gebruiken?'

De oude man deed zijn mond open om te antwoorden, maar zijn antwoord werd overstemd door een schreeuw vanaf de veranda.

'Nee!' klonk de paniekerige schreeuw, gevolgd door het gekletter van erwten op de verandavloer toen Flo overeind sprong. Haar handen klauwden schokkerig aan haar lijfje, en ze viel zwaar over de reling. Adam en haar vader keken op, en het deed hen allebei aan een lappenpop denken.

Adam was opgesprongen van de boomstronk en rende naar Flo toe, toen hij bijna omver werd getrokken door de bankschroefachtige greep van de hand van de oude man, sterk nog, hoewel hij knoestig en verweerd was, aan zijn mouw. Hij staarde naar de lege trailer, die hij voor het eerst leek te hebben opgemerkt, zijn oude, vochtige ogen als bloeddoorlopen knikkers. 'Waar is de maaier?' kraaide hij. Hij keek vluchtig naar de plek waar Flo over de reling van de veranda hing. 'Lieffie, waar is mijn maaier? Mijn maaier!' schreeuwde hij nu. 'Wat heb je met mijn maaier gedaan?'

¶

Beste Rory,

Geweldige gedichten. Je beste tot nu toe, vooral die ene die begint met: 'Rijzende maan / Het bovenlicht van de geest gaat open.' Heb je periodes waarin je het huis niet uit kunt? Ik bespeur iets dergelijks in dat gedicht. Het raakte een gevoelige snaar bij me, omdat ik zelf ook steeds meer dat gevoel heb, dat ik thuis wil blijven, gewoon te zeggen: bekijk het maar met je hele donderse boel, en dan ben ik dolblij dat er gordijnen bestaan.

Alle goeds,
Andy

¶

Lieve Jolie,

Bijgesloten een cheque. Dit is alles wat ik je een hele tijd zal sturen. Ik maak me op om mijn geest te versterken en een bos in te trekken om te gaan leven op eikels, en op die manier van wat er over is van mijn leven een hanteerbaarder geheel te maken. Ik heb over de uitsteeksels van afgrijselijke obstakels heen moeten lopen om dit geld bij jou te krijgen. Ik heb vreselijke avonturen doorstaan. Om kort te gaan: ik ben neergesabeld en gekastijd. Ik heb in moreel opzicht gefaald en ben in verlegenheid gebracht. Maar gelukkig heb ik doorgeploegd en getriomfeerd. Details volgen.

De afgelopen twee maanden, sinds de bank is begonnen zijn woekeraarsaandeel te grijpen van elk bedrag dat ik op mijn rekening stortte, onder het voorwendsel de enorme, onbetaalbare bedragen aan schulden die ik heb iets te doen krimpen, heb ik de huurders met vleierij, bedreigingen en mooie praatjes een deel van hun huur in contanten afgetroggeld. Afgelopen woensdag had ik vijfhonderdtachtig dollar netjes opgevouwen in de buitenzak van mijn blauwe jasje zitten (aangezien de veiliger binnenzak er gescheurd bij hing). Ik liep over het noordelijke trottoir van Fourth Street, op weg naar het postkantoor, fluitend en zwaaiend met mijn armen, terwijl ik kleine sprongetjes maakte over de gaten in het wegdek, die talrijk waren. Mijn ogen schoten alle kanten op, aangezien er niets opmerkelijks op straat te zien was om ze lang op een plek gericht te houden, tot ze rustten op een voertuig dat voor een stoplicht stationair draaide, terwijl er een stinkende wolk rook uit zijn uitlaat kwam. Hoewel ik het voertuig van achteren naderde, en dus geen volledig en ruim uitzicht op het object had, waren er verschillende tekenen die erop wezen dat dit hetzelfde voertuig was dat ik beschreven had gezien in een verhaal van een van de mensen die een bijdrage leveren aan mijn tijdschrift. De motor van mijn brein bromde zachtjes en liet me weten dat het knobbelige ding dat zichtbaar was door het vuil op de achterruit van het voertuig naar alle waarschijnlijkheid het hoedloze hoofd van diezelfde inzender was. Dat heet redeneren van het geheel naar een deel; wat maar een seconde in beslag neemt. Aangezien ik niet had verwacht betreffende inzender op die plek aan te treffen, en hij mij daar uiteraard ook niet had verwacht, maakte ik gebruik van die gecombineerde onverwachtheden om diep te hurken en achter de truck te kruipen (want het voertuig in kwestie was in feite een pick-uptruck) voor het verkeerslicht weer met zijn toestemmende groen kon flitsen. Het was mijn bedoeling in de laadbak van de truck te springen – als een panter, zou je kunnen zeggen – en daarvandaan snel naar de achterkant van de cabine te schieten. Daar eenmaal aangekomen, was ik van plan – mijn brein, versterkt door een snel bonzend hart, raasde nu met enorme snelheid voort – met mijn rechterhand de chromen spits van een grote radioantenne vast te pakken die ik op het dak uit zag steken, terwijl mijn linkerarm vliegensvlug om de hoek van de cabine door het open raam aan de bestuurderskant zou kronkelen. Het was een leuke verrassing geweest, als het was gelukt. Helaas verdween de laadbak, op het moment dat ik mezelf in de richting ervan de lucht in had gelanceerd, onder me vandaan. Het licht was plotseling op groen gesprongen (er is in die richting helaas geen oranje) en de truck schoot met veel gepiep en rokende banden naar voren. Ik had op dat moment mijn evenwicht kunnen verliezen. Dat ik dat niet deed, althans nog niet, en in staat was de achtervolging in te zetten, was aan niets anders te danken dan puur geluk. Volgens mij zwaaide ik met mijn armen en riep, en liep ik op de truck in, toen ik werd verraden door mijn schoenzool. Dat had ik eerst moeten vermelden: een deel van mijn linkerschoen was nu al een paar dagen zijn greep op andere delen aan het verslappen en maakte een regelmatig flapperend geluid als ik liep. Het was een tamelijk prettig geluid en ik had geleerd mijn voet zo neer te klappen dat het veelvoudig versterkt werd. Dat baarde heel wat opzien in de supermarkt. Maar ik had natuurlijk niet stilgestaan bij de gevaren die het zou veroorzaken als ik mijn pas ooit moest versnellen tot iets meer dan een hobbelpasje, wat ik wel moest doen toen ik achter die truck aan rende. Dankzij die schoen ontvouwde de situatie zich niet zoals ik had gehoopt toen ik mezelf de sporen gaf. Om een lang verhaal kort te maken, ik viel – vreselijk, afgrijselijk en heel hard. Beide knieën van mijn broek scheurden, ik schaafde mijn linkerhandpalm zo erg dat ie nog verscheidene uren bleef branden, terwijl er druppels bloed uit parallel lopende voren sijpelden, en mijn vinger bijna was gebroken.

Dus daar lag ik, uitgestrekt midden op een drukke kruising,

terwijl het verkeer aan alle kanten vast kwam te staan. Verbijsterend genoeg sprong niemand me te hulp, en ze slenterden me evenmin te hulp. Wat ze dachten kon ik uiteraard niet weten; misschien dachten ze er wel over en te springen én te slenteren en lieten ze het uiteindelijk maar helemaal zitten. Ik zag overal hoofden uit autoraampjes steken, strekkend om het beter te kunnen zien, en niet eens alleen kinderhoofdjes, maar er stapte nog steeds niemand uit. Ik wist mezelf op te hijsen tot ik zat en was in een goed gesprek met mijn knieën verwikkeld, toen er van ergens ver achter in de rij een claxon klonk, een enkele halfhartige toeter gemaakt door de druk van een onzekere en laffe handpalm. Ik keek op. Misschien heb ik wel een boze blik geworpen. Ik weet in elk geval zeker dat ik heb gegrimast (ik begon de pijn in mijn handen en knieën te voelen). Ik realiseerde me dat ik een schoen was kwijtgeraakt, de schurk met die flap. Ik probeerde tevergeefs hem weer aan te trekken. Ik had de veters los moeten maken, die ik altijd dubbel knoop. Ik kon mijn vingers nauwelijks gebruiken, verlamd als ze waren door tintelingen. Ondertussen klonken er geen toeters meer. Ik had liever gehad dat er een heel koor klonk. Het gezeik van geduldig zwijgen werkte me ontzettend op mijn zenuwen.

Ik draaide mijn hoofd naar alle windrichtingen, maar er was geen enkele mannelijke hand naar me uitgestoken om me te helpen, en geen engelachtige glimlach van een hulpvaardige dame scheen haar zonnestralen op me neer. Mijn blik ontmoette slechts het grijnzende chroom van automobielgrillen en bumpers en het lege gestaar van hun enorme glazen ogen. Ik kroop – ja, kroop! – op handen en voeten, op mijn bebloede knieën en handen, van de weg. Ik stortte in op de grasberm. Ik ging met mijn rug tegen een paal zitten en keek toe hoe het verkeer zijn gebruikelijke tempo hervatte. Ik bedacht hoe de onverschilligheid in het hart van de machine migreert naar de zielen van degenen die haar besturen. Vervolgens trok ik mijn andere schoen uit en liep naar huis.

Ik nam aanvankelijk aan dat mijn vinger alleen maar verstuikt was. Maar nadat ik een nacht had wakker gelegen en geluisterd naar zijn klachten, ontdekte ik de volgende ochtend dat er een interessant nieuw object uit mijn handpalm stak: een zachte, wittige cilinder die twee keer zo dik was als mijn oorspronkelijke vinger. Waar ik ooit een knokkel had gehad, zag ik nu een deuk. Ik dacht: 'Hier moet ik maar eens naar laten kijken.' Op andere dagen had ik hem naar Dorfmann gebracht. Ik had ervan genoten hem mijn arme, beschadigde vinger aan te reiken als het kindeke Jezus in de wieg van een bloederige hand. Er is een tijd geweest dat dat hem iets had gedaan. Maar onze relatie is sinds jouw vertrek ernstig verslechterd – hij heeft altijd een zwak voor jou gehad – en ik ga het leven van mijn wijsvinger niet in handen van een eikel leggen. Ik keek in het telefoonboek en stuitte op ene Lawrence Swindell, huisarts, met een kantoor aan Oak Court, dat kleine straatje achter de Maytag-fabriek. Ik nam zes aspirines in en reed erheen. Oak Court is een doodlopende straat met kleine ranchhuisjes aan de ene kant en een metalen hek aan de andere. Er hing een houten bord – DR. LAWRENCE SWINDELL, HUISARTS – onder een brievenbus voor een van de huizen.

Ik deed de hordeur open, en ergens achterin klonk een bel. De wachtruimte zag eruit als iemands huiskamer, compleet met bankstel en salontafel met een glazen blad. Ik ging op een stoel bij de deur zitten. Er lagen geen tijdschriften en ik was de enige patiënt, dus ik besloot nog maar eens een blik op mijn knieën te werpen. Spijtig genoeg had ik een andere broek aangetrokken en in de broek die ik aanhad zaten geen openingen op de juiste plekken. Ik moest de pijpen bijna tot mijn dijen oprollen om het goed te kunnen zien, en vanwege mijn pijnlijke vinger moest ik met één hand rollen, wat nogal veel tijd in beslag nam. Ik voelde een tijdje aan de korstjes op mijn knieschijven, en keek vervolgens nog wat naar mijn vinger. Die leek behoorlijk op een enorme meelworm. Ik haalde mijn pen tevoorschijn en tekende er twee oogjes op. Ik zat net na te denken over wat voor mondje ik wilde – het moest er absoluut eentje met naar beneden wijzende mondhoeken worden, aangezien het een verwond beestje was, maar ik wist niet zeker of het ook tanden moest hebben –, toen ik werd gestoord door de binnenkomst van een vrouw in een verpleegstersuniform. Ik dacht aan mijn arme moeder en mevrouw Robinson. Omdat ze me daar zo met opgerolde broekspijpen zag zitten, nam ze aan dat ik voor mijn knieën kwam en boog ze al voorover om ze van dichterbij te bekijken toen ik zei: 'Nee, met mijn knieën gaat het wel. Het gaat om mijn wijsvinger.' Ik hield hem op, zodat ze ernaar kon kijken. Ik draaide hem, zodat ze alle kanten kon zien. 'Hij heeft oogjes,' zei ik.

'Dat zie ik,' antwoordde ze.

Ik zei: 'Kent u Elaine Robinson?'

'Ik geloof het niet,' zei ze. 'Zou dat moeten?'

Ik vond van wel. Ik zei: 'Elaine Robinson is verpleegster in Milwaukee.'

Ze zei: 'Waarom zou ik iemand in Milwaukee moeten kennen?! Ik ben zelfs nog nooit in Chicago geweest.'

Ik wilde haar best vertellen waarom dat moest, maar de reden ontschoot me. 'Chicago,' zei ik, 'is groter dan Milwaukee.' Ze leek in verwarring gebracht, dus ik ging verder. 'Het begon met mijn schoen.' Ik tilde mijn linkervoet op en schudde ermee. De losse zool klapte open en dicht. Dat liet ik hem een paar keer doen. 'Hij probeert iets te zeggen,' legde ik uit.

Ze opende haar mond, sloot hem weer. Ik hoorde een wc doortrekken, en even later liep de dokter de wachtkamer in. Hij glimlachte breed en probeerde een overvloedige pens met een reeks rukjes aan een smalle riem in te snoeren. Een laatste rukje, en de riem verdween in een vouw in zijn buik. Hij was dik, maar afgezien van die pens was er weinig ronds aan hem te ontdekken. Hij had een groot bloklijf en zijn enorme vierkante hoofd was kaal tot aan zijn oren, die klein waren en plat tegen zijn schedel lagen. Ik dacht aan mijn eigen oren en wilde er een draai om geven (om mijn oren maar ook om de zijne, bedoel ik). 'Wat hebben we hier?' baste hij. Ik toonde hem mijn gekwetste vinger, die hij boog en bestudeerde, terwijl zich boven zijn wenkbrauwen geulen van vet vormden en de verpleegster met haar handen op haar heupen toekeek.

'Kunt u hem buigen?' vroeg hij. Ik probeerde de vinger te laten krommen. Hij protesteerde, maar ik dwong hem mee te geven. Terwijl de dokter mijn vinger aan een verhoor onderwierp, rustte mijn eigen blik op de bovenkant van zijn kale knikker, die een paar centimeter van mijn gezicht verwijderd was. Hij was rond en glad als een bowlingbal, ongeveer net zo groot, en hij glansde zo dat ik ervan moest knipperen. Ik sloeg mijn ogen op, en zag dat de verpleegster mijn fascinatie had opgemerkt. Een vage glimlach raakte haar mondhoeken aan. Vervolgens gaf ze een knipoog. Het viel me voor het eerst op hoe strak haar uniform zich om haar lichaam sloot.

De dokter ging rechtop staan. 'Kan best eens gebroken zijn,' zei hij. 'Maar als dat het geval is, zit het bot in elk geval nog op z'n plek. Anders kon u hem niet zo bewegen. En trouwens, ik kan er toch geen gips omheen doen voor de zwelling is afgenomen.'

Ik liep achter hem aan de spreekkamer in. Met mijn broek nog steeds tot boven mijn knieën opgerold zag ik eruit alsof ik op het punt stond ergens doorheen te waden. Hij liet me op een gepoetste metalen tafel zitten. Mijn voeten bungelden verscheidene centimeters van de grond. Ik voelde me net een kind in een hoge stoel. Ik schopte mijn voeten van achteren naar voren in een poging dat gevoel nog wat aan te zwengelen.

'Hou daar eens mee op,' zei hij. Wat natuurlijk de perfecte opmerking was.

Ik bleef stilletjes zitten terwijl hij mijn vinger in een spalk zette, gemaakt van twee tongspatels die hij meerdere keren omwikkelde met tape. Vervolgens pakte hij zonder iets te zeggen mijn opgerolde pijpen vast en trok ze weer naar beneden, eerst de ene en daarna de andere, en rukte de zomen met scherpe, kleermakerachtige rukjes recht. Hij moet in een kledingwinkel hebben gewerkt voor hij arts werd. Naast me op de tafel geleund schreef hij een recept voor pijnstillers uit.

De verpleegster had de hele tijd dat de dokter die spalk aanbracht staan kijken, met haar handen op haar heupen, en nu zei ze: 'Dat is dan twintig dollar.'

Ik had de bundel bankbiljetten van gisteren nog in mijn broekzak, waar ik hem die ochtend in had overgeheveld. Het was mijn bedoeling naar beneden te reiken en er een briefje van twintig af te pellen zonder de rest tevoorschijn te trekken. Dat was niet zo eenvoudig als ik dacht. Vanwege de spalk was ik genoodzaakt mijn linkerhand te gebruiken, de onhandige hand, hoewel het geld in mijn rechterzak zat. Door mijn schouder en bovenlijf te draaien wist ik mijn hand in die zak te krijgen, waar ik de bundel open probeerde te vouwen. Ik dacht het hoekje van een biljet tussen mijn duim en wijsvinger te hebben, terwijl mijn andere drie vingers een stuk of tien biljetten die zich eraan vastklampten naar beneden probeerden te drukken. Maar hoe meer ik worstelde, des te verwarder ze raakten. Vanuit mijn ooghoek zag ik dat de verpleegster haar hals rekte, ofwel in verbijstering ofwel in een poging in mijn zak te turen. Ik slaagde er uiteindelijk in het briefje van twintig los te peuteren en begon voorzichtig mijn hand uit mijn zak te halen. Maar die hand was, omdat hij de zak van de verkeerde kant had benaderd, in een vreemde hoek naar binnen gegaan, en nu zat hij klem. Ik kon het biljet natuurlijk loslaten, mijn vingers ontspannen en de hand er zonder problemen weer uit halen. Maar dan zou ik mijn doel voorbijschieten, aangezien ik dan nog zonder briefje van twintig zat en van voren af aan zou moeten beginnen. Het was een oplossing geweest als ik de dokter of, beter nog, de verpleegster, die kleiner was, had gevraagd haar hand in mijn zak te stoppen. Maar dat deed ik liever niet. Ondertussen verloor ik, door mijn ongemakkelijke houding (mijn middel gedraaid, mijn linkerhand diep in mijn rechterzak) in combinatie met de fysieke inspanning van de poging om mijn hand eruit te wrikken, mijn evenwicht. Ik stommelde zijwaarts, viel de hele kamer door en knalde tegen de zijkant van een vitrinekast met een glazen voorplaat. Het glas brak gelukkig niet, hoewel er naar het geluid te oordelen in de kast wel verschillende dingen omvielen. Uiteindelijk wist ik, door middel van een opwaartse ruk waardoor mijn voeten bijna van de grond kwamen, mijn hand te bevrijden uit wat ik was gaan zien als de kaken van mijn zak. Mijn hand schoot naar voren, met het gezochte briefje van twintig eraan, en de hele bundel van overgebleven biljetten vloog er meteen in een soort vulkanische uitbarsting achteraan.

Ik herinner me dat ik even als verlamd was. Niemand bewoog, en er was geen geluid te horen afgezien van het bladachtige gefladder van geld dat op de grond viel. Ik riep: 'Dat is míjn geld!' en het volgende moment sloegen we alle drie met onze koppen tegen elkaar, terwijl we op handen en voeten over de grond kropen. Ik plette de hand van de dokter onder mijn knie. Hij stootte met zijn bowlingbalhoofd tegen mijn slaap. De verpleegster zwaaide met haar heupen als stormrammen. Het was overduidelijk dat hij, met zijn hangbuik, en ik, met mijn beschadigde hand, geen schijn van kans maakten tegen haar. We wisselden een blik uit die dat vaststelde, en kwamen overeind. De dokter gaf me het propje biljetten aan dat hij bij elkaar had gegraaid. We gingen tegen de muur staan om haar niet in de weg te lopen, en keken toe terwijl zij het karwei afmaakte. Ze kroop met wiegende heupen over de vloer, als een hond die een geurspoor volgde. Als ze een biljet zag, sloeg ze er met een vlakke hand op als een kind dat *slapjack* speelt, deed het vervolgens bij de gestaag groeiende bundel die ze als een prop in haar vuist had, en dook naar een volgend biljet. De dokter wierp me een blik toe die ik als spottend opvatte. Ik knipoogde en hij keek weg. Ik dacht aan hoe het zou voelen als jij daar over de grond kroop, en ik geneerde me voor hem.

Toen ze eenmaal alle biljetten die in het zicht lagen te pakken had, snuffelde ze nog een paar minuten in hoekjes en achter het bureau. Daarna stond ze op, veegde het stof van haar knieën en gaf de prop verkreukelde biljetten aan mij. Die was warm en vochtig van haar hand, en ik propte hem gauw in mijn linkerbroekzak en zorgde ervoor dat hij helemaal onderin zat. Ik herinnerde me hoe mijn vader in de voortuin van ons huis een dode mol in zijn zak propte, een voorval dat ik tot dat moment was vergeten. Ik denk dat ik daar even moet zijn blijven staan, met mijn hand in mijn zak, in gedachten verzonken. Toen ik weer opkeek, zag ik dat ze nog een briefje van twintig in haar hand had. Ik weet dat sommige mensen – en ik verdenk jou ervan dat je er daar een van bent – zouden zeggen dat het gewoon de twintig dollar waren die ik haar schuldig was, en zo zal zij het ook wel gezien hebben. Maar zo zag ik het niet. Ik had per ongeluk geld op de grond laten vallen, en deze vrouw had me geholpen het op te rapen, wat niet meer dan beleefd was. Maar nu had ze besloten – unilateraal besloten, zonder een woord van overleg met de rechtmatige eigenaar – een deel zelf te houden, daarmee het overduidelijke feit negerend dat ik haar nog niets betaald had.

Dus hield ik mijn hand op en zei: 'Mag ik mijn geld terug, alstublieft?'

Ze antwoordde: 'U bent ons twintig dollar verschuldigd. Dit is twintig dollar.' Ze zwaaide met het biljet in mijn gezicht.

Ik zei: 'Maar ik heb je dát briefje van twintig helemaal niet gegeven.' Ik stopte mijn hand in mijn zak en, na enig geworstel, lukte het me deze keer er een enkel biljet uit te trekken. 'Misschien wilde ik je dít briefje van twintig wel geven,' en ik zwaaide daarmee in háár gezicht.

'Wat maakt dat nou uit, verdomme?' snauwde ze.

De dokter mompelde: 'Lucille …' en door hoe hij dat zei, realiseerde ik me dat het zijn vrouw was.

Ik zei: 'Dat maakt alle verschil van de wereld. Feit is dat ik u nog geen cent had betaald. Waarschijnlijk was ik vast van plan u het volledige bedrag te betalen, maar dat kon u niet met zekerheid zeggen. Dat kon u niet weten, tenzij u ogen in mijn hoofd had. Voorts had u, als ik had besloten niet te betalen, niet het recht het maar gewoon weg te grissen. Dan had u me voor de rechter moeten slepen.'

Daar gaven ze geen van beiden antwoord op. Ze keken me aan, met wijd opengesperde ogen, en vervolgens elkaar, duidelijk in verwarring gebracht door mijn welsprekendheid. Ik ging op een verzoenender toon verder. 'Geef het me nou maar gewoon, dan geef ik het daarna terug.' Ze aarzelde even. Ze keek naar de dokter, die zijn schouders ophaalde. Ze begon het me aan te reiken, toen ik plagerig zei: 'Misschien.'

Ze trok haar hand terug, en verborg hem achter haar rug als een stout kind dat stiekem snoep had gepakt. Het was een ongelooflijk schuldbewust gebaar. Zo moet ze het ook gezien hebben, want ze bracht haar hand weer naar haar zij. Ze zag er stuurs uit; ze staarde naar haar schoenen en weigerde me in de ogen te kijken. Ik voelde een enorme golf energie in me opwellen. Ik stak mijn hand uit en sprak op ferme toon: 'Lucille, geef me dat geld. Nu.'

Ze tilde langzaam haar hand op, nog steeds zonder me aan te kijken. Ik nam het geld aan en zei: 'Dank je.' Ik liet een moment passeren, als het ware om het bewijs van rechtmatige eigendom te laten bezinken. Vervolgens zei ik: 'Hier is het geld dat ik je schuldig ben,' en gaf haar het andere biljet.

Ik draaide me om en liep naar buiten. Ik voelde hun ogen op me rusten, de pijlen van hun haat als stalen kogels tegen mijn achterhoofd slaan. De wachtkamer zat vol.

Op de terugweg naar huis, was ik in de wolken. Ondanks de voortdurende pijn in mijn vinger, kon ik de neiging niet onderdrukken een deuntje te spelen op de claxon.

De vinger is niet gebroken, denk ik. De zwelling is bijna gaan liggen, hoewel er een kleine kromming onder de knokkel lijkt te zitten die er eerst niet was. Ik voel me heel licht in mijn hoofd, maar ik kan niet slapen. Ik lig beneden op de bank. Het blauwe licht hier heeft iets rustgevends. Of ik ga in de rode stoel tussen de dozen zitten. Ik krijg het gevoel dat ik op een station zit te wachten, omringd door mijn bagage. Ik ben heel opgewonden. Ik vraag me af: 'Waar blijft die trein nou?'

Liefs,
Andy

❡

Dahlberg!

Een rode Ford pick-up? Een nummerbord uit Alberta? Dacht je nou echt dat ik niet doorhad dat jij het was? Je gaat te ver. Ik kan omgaan met vuurwapens.

Whittaker

Oktober

Lieve Vikki,

Sinds het schooljaar een paar weken geleden weer is begonnen, lopen er elke ochtend en middag drommen kinderen langs mijn huis. Ik kan me niet herinneren dat dat in voorgaande jaren ook gebeurde, hoewel dat bijna niet anders kan. Tenzij ze hun route hebben veranderd, maar waarom zouden ze dat doen, behalve om mij te ergeren? Waar ik ook ben in huis, zelfs in de kelder hoor ik ze krijsen. Ze vinden het duidelijk prettig om zoveel lawaai te maken als maar menselijk mogelijk is. Ik hou mezelf voor dat ik niet het doelwit van hun gebrul ben, maar ik ben er niet van overtuigd. Als ik naar buiten gluur, zie ik ze vluchtige blikken op mijn huis werpen. Hun stemmen zijn hoekig en doordringend.

Vanmiddag bleven ze, in plaats van langzaam door de straat te fluiten, aan de overkant van het huis staan, als een stationaire maalstroom van geroep en geschreeuw. Toen dat onverminderd aanhield, toen het, had ik het gevoel, wéígerde op te houden, voelde ik mijn nek en hoofdhuid warm worden. Ik had gesist van woede, zoals ze dat noemen, als er iemand was geweest om tegen te sissen. Ik tilde een hoekje van mijn gordijn op – daarvoor moest ik er een spijker uittrekken –, ging gehurkt achter het kozijn zitten en gluurde naar buiten. Aan de overkant speelde een groepje van vijf of zes kleine jongetjes *King of the Mountain* op de brede stronk van een iep die de gemeente vroeg in de zomer heeft omgezaagd. Ze duwden elkaar er om beurten af. Dat hielden ze verscheidene minuten vol, waarbij ze maar bleven schreeuwen, tot het hen, alsof ze reageerden op een of ander geheim teken, ging vervelen. Plotseling en allemaal tegelijk. Ze hielden op met spelen, en bleven een paar minuten maar zo'n beetje rondhangen, terwijl ze zachtjes praatten en zenuwachtig stonden te schuifelen. Zo nu en dan trapte een van hen tegen de boomstronk. Ze leken van hun stuk gebracht. Ze deden me denken aan mieren als je de honingpot hebt verzet. Ik stond op het punt erheen te snellen – ik zag al voor me hoe ik met mijn handen zwaaide terwijl ik het opstapje af kwam stormen, praktisch vallend in mijn haast, mijn blote knieën (ik liep in mijn onderbroek) die op en neer gingen als zuigers, de kinderen die uiteenstoven als motten. Ik was bij de deur gekomen toen ik bleef staan: ze waren op de boomstronk geklommen en stonden daar nu op een kluitje bij elkaar. Een jongen telde af: 'Eén, twee, drie,' en ze begonnen met z'n allen in koor te brullen. Dat deden ze maar één keer, een enkele uitbarsting. Volgens mij riepen ze niet eens een woord, het klonk eerder als 'yeee-oo'. Gezien met hoevelen ze waren, had het oorverdovend moeten zijn, maar het klonk helemaal niet hard. Ik weet niet precies hoe ik die brul moet beschrijven, het halfhartige erachter, de zichtbare tegenzin van de schreeuwers, het mattige van het geluid, maar ik raakte er heel ontmoedigd van. Vanaf mijn deuropening zag ik ze giechelend, duwend en lachend de straat uit stommelen.

Toen ze weg waren, en er geen andere kinderen meer kwamen, deed ik mijn overjas aan, liep naar de overkant en ging op de stronk staan. Daarvandaan keek ik achterom naar mijn huis. Nu de iep er geen schaduw meer op wierp, was de felheid van het zonlicht ondraaglijk geworden, en ik had blauw plastic zeil voor de ramen gespannen om het buiten te sluiten. Ik keek naar het huis ernaast; daar waren de gordijnen ook dicht, donkere rode 'valgordijnen' in de woonkamer, een gele stof met strepen en gerande plooien in de keuken. Ze waren de avond ervoor waarschijnlijk dichtgetrokken, om te voorkomen dat mensen van buiten naar binnen konden kijken. Toen ik dacht aan de buren, mensen die ik niet zou herkennen als ik hen op straat tegen zou komen, die 's avonds de gordijnen dichtrokken, de vrouw die een gordijn in elk van haar delicate handen nam en ze naar zich toe trok, misschien nadat ze eerst een houtvuurtje had aangestoken in de openhaard, overspoelden de woorden 'gezellig' en 'privé' mijn geest. De bleekblauwe vellen plastic die scheef voor de ramen van mijn huis waren getrokken, riepen, toen ik me omdraaide en ernaar keek, een volkomen ander gevoel op. Ik bleef een hele tijd staan, terwijl ik dat gevoel probeerde te verwoorden. Een zinsnede bleef door mijn hoofd spoken: een blind huis.

De machine zoemt arbeidzaam, hard en volkomen nutteloos, aangezien hij nergens op is aangesloten. Er komt de hele dag niets uit mijn handen – ik dóé zelfs de hele dag niks – en 's avonds ben ik uitgeput.

Ik ben weer in mijn oude zondes vervallen – slonzigheid, luiheid en gigantische kleinzieligheid. Ik rook drie pakjes per dag en ren constant naar buiten. Ik dwaal vloekend door het huis en sla op de lege pakjes, of ik vis peuken uit de asbak. Ik ben naar de picknick van het Fonds voor de Kunsten gegaan, waar ik een woedeaanval heb gekregen. En ik schrijf weer brieven naar de *Current*, ondanks wat er de laatste keer dat ik dat deed gebeurde. Ik sluit de laatste bij. Je kunt hem maar beter niet aan Chumley laten zien – ik had hem beloofd dat ik het niet meer zou doen.

Heb ik je al verteld over Sokals laarzen? Die beroemde van slangenleer waar hij altijd over doorzaagde. Ik heb ze onder de trap in onze kelder gevonden. Toen ik ze in het oog kreeg, dacht ik eerst dat het opgezette karpers waren. Volgens mij was jij degene die lang, lang geleden vertelde dat hij overal rondbazuinde dat wij zijn laarzen gestolen hadden.

Nu we het toch over stelen hebben: iemand heeft mijn brievenbus gestolen. Het was een mooi houten doosje, dat op een rood schuurtje moest lijken. Ze zijn gewoon de veranda op gelopen en hebben hem losgeschroefd. Je herinnert je hem vast nog: de post ging door een gleuf in het dak naar binnen, en je moest de schuurdeur opendoen om die eruit te halen.

We hebben het equinoctiaalpunt bereikt. Ik doe mijn ogen dicht, en stel me voor dat de planeet door de pikzwarte ruimte glijdt, de kringloop van het leven die naar beneden spiraalt, zonder stuur, zonder remmen. En ik heb geen geld om dit huis te verwarmen. Niet alleen blind, maar nog koud ook. Kun jij misschien iets missen?

Liefs,
Andy

¶

Aan de redactie,

Nog geen maand geleden heb ik een brief geschreven waarin ik protest aantekende tegen de schaamteloze manier waarop de *Current* een zeer gerespecteerd literair figuur in onze stad, de auteur en redacteur Andrew Whittaker, negeerde. U hebt die fout nu rechtgezet, om meteen weer in een andere, veel ernstiger fout te vervallen. Ik doel hiermee op uw verslag van de sensationele gebeurtenissen tijdens de Bond ter Bevordering der Kunsten Picknick van afgelopen zaterdag in Armistice Park (KUNSTEN PICKNICK ONVERWACHT EXPLOSIEF). De overduidelijke vooringenomenheid die spreekt uit de adjectieven die uw verslaggever koos, laat geen ruimte voor twijfel aan welke kant zíj staat. In de beschrijving van de gebeurtenissen in aanloop naar het cruciale voorval waar de kop naar verwijst, omschrijft ze Whittakers interpellatie van een bijzonder vervelende spreker bijvoorbeeld als 'zich ermee bemoeien'. Zijn opmerkingen worden 'tirades' genoemd. Hij glimlacht niet, maar heeft 'een wrede grijns'. Hij spreekt niet, maar 'roept onsamenhangend' of 'kletst'. Volgens uw artikel reageerde Whittaker, toen hij door een politieagent werd gesommeerd de schaal neer te zetten, 'met een schril gekraai'. Ik was erbij, en stond, durf ik te zeggen, aanzienlijk dichter bij meneer Whittaker dan uw verslaggeefster (die, herinner ik me, dekking had gezocht achter een cederboom), en ik zou het geluid dat Whittaker voortbracht eerder omschrijven als een bulderlach. Maar ja, ik was dan ook niet verblind – of in dit geval: doof – door provinciale vooringenomenheid. Ik vrees dat we horen wat we willen horen.

Ik ben het evenmin eens met de opmerking dat meneer Whittaker in tranen werd afgevoerd. Die druppeltjes die glinsterden op zijn wang waren volgens mij druppels van de Chablis die een van de vrouwen – een mollig exemplaar in een rode korte broek – in zijn gezicht had gegooid. Toen ze hem de auto in duwden, zag ik dat het papieren bekertje nog in de kraag van zijn jasje zat. Een passend motief, moet ik zeggen, voor de hele toestand. De smijtster bleek een vriendin van Eunice Baker, die eerder die middag had voorgelezen uit haar nieuwe dichtbundel. Voor de talloze mensen die nog nooit van haar hebben gehoord: juffrouw Baker is redacteur bij *The Art News*. Tijdens haar lezing klom Whittaker voor het eerst op het podium. Volgens uw verslaggever 'griste Whittaker de microfoon uit haar handen en begon aan een tirade tegen Bakers werk'. Dat kun je onmogelijk het soort precisie noemen dat je zou verwachten van een professionele journalist. Als man van de wetenschap hecht ik groot belang aan precisie. Wat houdt dat in, een tirade? Wat werd er in het verloop van die 'tirade' precies gezegd? Een feitelijk verslag had er ongeveer zo uitgezien: 'Meneer Whittaker gaf op luide toon (ze hadden zijn microfoon afgezet) maar uiterst kalm een korte recensie van het optreden van mejuffrouw Baker, waarin hij haar voordracht omschreef als "menopausaal geloei" en haar gedichten als "koeienscheten". Vervolgens schrijft uw verslaggever dat het publiek 'reageerde met aangehouden boegeroep'. Dat klopt ook in grote lijnen, maar er stonden tenminste een paar jonge mannen achterin die hard lachten. De rimpelingen van hilariteit van die joviale knapen zweefden als wimpels boven het algemene gebrom uit en gaven het hele voorval bepaald een andere toon. En dat is nou precies het punt dat ik in mijn voorgaande brief al maakte: onze stad en staat hebben mensen als Whittaker nodig, mensen die zeggen waar het op staat en niet bang zijn zich de woede van de 'publieke opinie' op de hals te halen als ze geloven dat die opinie onjuist is. En die lachende mensen, verdienen die ook geen voorvechter?

Whittaker is in de afgelopen jaren het onderwerp geworden van enorme publieke nieuwsgierigheid. Ik weet uit betrouwbare bron dat hij die zelf niet heeft gezocht. Hij is allesbehalve het 'publiciteitsgeile figuur' zoals in *The Art News* belachelijk wordt gemaakt. Hij leest zelfs geen kranten en zit ook niet aan cafétafeltjes te roddelen.

Het is zijn diepste wens om in alle rust te mogen werken.

Hoogachtend,
Warden Hawktiter, huisarts

§

Beste postbode,

Zoals u ziet ontbreekt de brievenbus. Ik denk dat iemand die gestolen heeft. Ik zal binnenkort een nieuwe aanschaffen. Wilt u de post tot die tijd alstublieft onder de voordeur door schuiven? Als u aan de scharnierkant kijkt, zult u daar de 'gleuf' zien die ik heb uitgesneden in de rubberen strip die langs de onderzijde loopt. Als u mijn schuur tegenkomt, wilt u me dat dan a.u.b. laten weten?

Alvast bedankt,
A. Whittaker

§

Beste Stewart,

Ik had je liever op je kantoor ontmoet, waar ik, bij wijze van spreken, mijn voeten op je bureau had kunnen leggen en van man tot man met je had kunnen spreken, maar ik voel me dezer dagen niet presentabel. Ik denk niet dat ik je receptioniste onder ogen had durven komen. Niets ernstigs, geen verminkende ziekte of smerige geur, voor zover ik weet, hoewel ze zeggen dat mensen die echt stinken daar zelf geen idee van hebben. Goed, ik ben niet tevreden over mijn kleren, zeker niet over mijn schoenen, en zou graag nieuwe kopen (ik zit momenteel erg krap). Maar daar ligt het ook niet aan. Het is meer dat ik het gevoel heb dat wat er tegenwoordig in me omgaat aan de oppervlakte komt, en aan mijn gezicht is af te lezen. En niet alleen aan mijn gezicht, maar ook aan mijn tred. Ik merk dat ik meestal gebogen loop; dat lijk ik niet recht te kunnen zetten. Elke poging daartoe leidt tot een bespottelijke buiging in de tegengestelde richting, achterwaarts, alsof ik opkijk naar een vliegtuig, dus ik probeer het maar niet eens meer. Ik stel me voor dat ik zo voorovergebogen voor jouw knappe receptioniste sta, of achterover, starend naar de plafonnière. Ik weet niet zeker of ik me zou kunnen beheersen mijn hand uit te steken en haar om een dollar te vragen. Ik ben bang dat dat in ongunstige zin op jou zou afstralen, omdat ze weet dat we vrienden zijn, dus kom ik maar niet.

Ik neem aan dat je de recensie van mijn optreden op dat gedoe van de Bond ter Bevordering der Kunsten in het park in de *Current* hebt gezien. Voor het geval dat niet zo is, sluit ik het knipsel bij, dat je met een flink snufje zout moet nemen. De picknick was erg leuk – ik ben helemaal niet 'in razernij ontstoken', zoals ze beweren. Sterker, ik zweefde terwijl het allemaal gebeurde grotendeels kalmpjes rond ergens ter hoogte van de boomtoppen. Je zou mijn staat het beste als 'ballonachtig' kunnen omschrijven. Ik had, terwijl de, zoals de krant dat noemt, 'roerige' gebeurtenissen zich voltrokken, een heerlijk gevoel van onthechte observatie. Ze hebben me verstoring van de openbare orde ten laste gelegd. Eerst wilden ze me beschuldigen van mishandeling met een dodelijk wapen, maar ik heb ze ervan weten te overtuigen dat ik inderdaad met de hapjes heb gegooid, maar dat ik de schaal stevig vasthad. Na de aanvankelijke schermutselingen en een nogal vijandig ritje naar het bureau – de agent voorin vond het maar niks dat ik van achteren tegen zijn stoel trapte – werden ze wat vriendelijker. Ik vertelde flikkermoppen en ze haalden ginger ale voor me. Daarna lieten ze me gaan. Ik moet op zeker moment voor de rechter verschijnen, wanneer weet ik niet meer precies, ga je dan met me mee? Ik geneer me een beetje dat ik het moet vragen, aangezien ik me nooit heb verontschuldigd voor dat voorval met die vaas op het feestje van Ginny. Dat zou ik nu wel willen doen, maar dan zou het lijken alsof ik het alleen maar deed om gratis jouw gerechtelijke bijstand te krijgen. En die zal uiteraard gratis moeten zijn, gezien mijn financiële problemen, die ik eerder al beschreef. Het lijkt een onoplosbare sociale strikvraag. Ongelooflijk toch hoe er, waar ik tegenwoordig ook kijk, nieuwe moeilijkheden opduiken. Misschien kunnen we het daar na de hoorzitting eens over hebben.

Met vriendelijke groet,
Andy

§

Beste meneer Mailer,

U weet waarschijnlijk niet wie ik ben, en dat is maar goed ook, want dat geeft me de gelegenheid me voor te stellen zonder me eerst door een woud van misvattingen en vooroordelen heen te hoeven worstelen, zoals hier het geval is, waar ik zo bekend ben dat ik praktisch onzichtbaar ben. Ik ben redacteur van het literaire tijdschrift *Soap*, waar u waarschijnlijk ook nog nooit van hebt gehoord. Ik sluit een exemplaar van ons laatste nummer bij. We staan op het moment aan het begin van een meerjarig proces van herstructurering en uitbreiding waarvan we verwachten dat het ons op de kaart zal zetten als een dominante stem in dit deel van de wereld, of zelfs landelijk. In verband met die uitbreiding organiseren we aanstaande mei en juni het eerste jaarlijkse Soap Festival van Literatuur en Kunsten. Ik zal u hier geen volledige beschrijving van het evenement geven, maar me ertoe beperken te zeggen dat het maar liefst zeven dagen duurt en vele deelnemers kent. Het zal vooraf worden gegaan door kleurrijke brochures. U kunt er binnenkort een bij de post verwachten. U zult uiteraard denken: wat heb ik daaraan? Het is niet meer dan normaal dat u dat denkt, het zelfs ronduit zou vragen, als we in een gesprek van gedachten zouden wisselen of als u zo iemand bent die, net als ik, terugpraat tegen brieven en de televisie. Je eigen carrière in het oog houden is niets om je voor te schamen, vind ik, ook al betekent dat dat je het halve land af moet reizen. Het is maar goed dat de luchtvaart bestaat. Ik draag ook zorg voor mijn carrière, hoewel die beperkt is, wat het in sommige opzichten makkelijker maakt om er zorg voor te dragen en in andere opzichten veel moeilijker, omdat het lastig is de aandacht op je te vestigen als je niet al in de picture staat, wat bij u wel het geval is; hoewel er in uw geval natuurlijk veel meer mensen zijn die u in het oog moet houden, en in dat opzicht is uw taak zwaarder. Druk ik me zo duidelijk uit? Het punt, waarvan ik me realiseer dat ik er lang over doe om het te maken, is dat u de Soap Lifetime Achievement Award hebt gewonnen. In fysiek opzicht houdt dat een ingelijste foto van Marilyn Monroe in haar bubbelbad in, ongeveer ter grootte van een dienblad. Er zitten verwijderbare rubbervoetjes onder de lijst, zodat u hem op de schoorsteen kunt zetten, mocht u dat willen, als u besluit er een plek voor in te ruimen, en niet bang hoeft te zijn dat hij eraf glijdt, of u kunt ze eraf halen en hem aan de muur hangen. Spiritueel gezien is het een buitengewone eer, of dat zal het in toekomstige jaren, als meer mensen zoals u hem hebben ontvangen, in elk geval worden.

De prijs zal worden uitgereikt, of toegekend, aan het eind van een banket voor genodigden in het historische Grand Hotel. Ik zal een toespraak houden en daarna u. Vervolgens zal iedereen zich naar de balzaal begeven.

U kunt er voor de duur van uw verblijf voor kiezen op onze kosten een kamer in dat hotel te nemen (we hopen dat u minstens een paar dagen zult blijven) of, beter nog, als eregast in mijn huis te verblijven. Uw vrouw is uiteraard ook van harte welkom, als u een vrouw hebt. Zelf heb ik geen vrouw. Ik heb wel een werkster, of die had ik in elk geval tot voor kort, dus u hoeft niet bang te zijn dat u in een smerig vrijgezellenflatje zult logeren. Het huis is behoorlijk groot en staat aan een prettige, door bomen omzoomde straat. Ik was van plan mijn intrek te nemen in een kleiner pand, en daarom heb ik alles in dozen gepakt, afgezien van een paar zaken die ik voor persoonlijk gebruik nodig heb, wat niet veel meer is dan een bord, een beker enzovoort, en de meubels, uiteraard. Maar als u komt, zoals ik echt hoop, zal ik mijn plannen herzien. Wees gerust, alles zal tegen de tijd dat u hier bent weer op zijn plek staan. Ik zal echter met geen mogelijkheid alle zeer fraaie vazen, schilderijen en dergelijke terug kunnen plaatsen, want die heeft mijn ex-vrouw meegenomen toen ze vertrok, ondanks het feit dat ze die nergens kwijt kon, bij gebrek aan muren en schoorsteenmantels en dergelijke. Ze heeft ze ergens opgeslagen, een van haar vele onnodige uitgaven. Ze woont niet al te ver bij u vandaan, en als u meer over mij te weten wilt komen, dan zou u haar op kunnen zoeken. Ik ben natuurlijk ook bereid al uw vragen te beantwoorden, voor wat het waard is.

Meneer Mailer, ik zal eerlijk tegen u zijn, zoals ik ook wil dat u eerlijk bent in uw antwoord, als dat er komt, naar ik hoop; dat is niet meer dan beleefd. Misschien hebt u een secretaresse die zal reageren, of niet zal reageren, al naargelang. Misschien zal alleen een secretaresse dit lezen. Misschien léést alleen een secretaresse dit. Als dat het geval is, dan richt ik me niet tot u, maar tot iemand die ik nog minder ken dan u, aangezien zij (hij?) geen boeken heeft geschreven die ik gelezen heb, want waarom zou zij (hij?) anders een secretaresse zijn, zelfs al is het van een beroemd auteur? Daar heb je het nu. Dat is het probleem met brieven. Aan de telefoon zou ik kunnen zeggen: 'Ben jij dat, Norman?' Al zou ik, omdat ik geen idee heb hoe uw stem klinkt, nog in de maling genomen kunnen worden. Het is heel lastig om dit tot op de bodem uit te zoeken.

Ik heb nog niet alle details uitgewerkt. Data, tijden, schema's en programma-aantekeningen piepen zo door mijn hoofd, dat het net is alsof ik een kop vol praatzieke muizen heb. Laat ik het er wat het festival betreft op houden dat het groot wordt. 'Hoe groot?' vraagt u, in alle redelijkheid. In plaats van een antwoord een kleine hint: er zullen olifanten aanwezig zijn.

Ik zie uit naar uw bezoek. Ik voorzie dat we het zullen kunnen vinden. Het weer wordt waarschijnlijk prima, dus dan kunnen we in de tuin zitten. Toen mijn vrouw er nog was, hadden we bloemen. Sinds zij de benen nam, heb ik daar geen tijd meer voor. Ik heb de grasmaaier eroverheen gehaald, en nu is er buiten alleen nog een beetje gras; het oogt sober, maar ik denk dat het u wel zal bevallen. Zoals ik al zei: er zijn bomen. Ik heb geen contact met de buren, dus u hoeft niet bang te zijn dat er hordes handtekeningenjagers aan komen rennen. Ik stond op goede voet met een gehandicapte vrouw aan de overkant, maar die lijkt te zijn verhuisd. Er was ook een vrouw met een vlammenwerper, en een gekwetste schrijver die een appeltje met me wilde schillen. Ik verwacht niet dat ze uw bezoek zullen verstoren. Hoewel ik geen bokser ben, ben ik wel tamelijk groot.

Mocht u niet in de gelegenheid zijn deze award in ontvangst te nemen, weet u dan misschien iemand die dat wel is?

Hoogachtend,
Andrew Whittaker

§

Beste Vikki en Chum-Chum,

Jullie moeten gewoon negeren wat die mensen zeggen. Geloof me, er is niks om jullie zorgen over te maken. Ik ben ervan overtuigd dat ik, ondanks alles, een keerpunt in mijn leven heb bereikt, een moment waarop we ooit terug zullen kijken als 'de drempel naar zijn vruchtbare jaren' of zoiets.

Veel liefs voor jullie allebei,
Andy

§

Aan de redactie,

Niet zo lang geleden was u zo vriendelijk een brief van mij af te drukken waarin ik mijn indrukken van de 'echte' Andrew Whittaker trachtte over te brengen – niet die controversiële auteur, maar de buurman van de overkant. Ik had zeker nooit gedacht dat ik me genoodzaakt zou zien zo snel opnieuw te schrijven. Maar op de dag dat ik de brief verstuurde, stond er op uw pagina's een lange reportage van Melissa Salzmann over de jaarlijkse picknick van de Bond ter Bevordering der Kunsten. Het deed me pijn te lezen dat Andy zo instortte voor al die mensen, en ik vind het heel verkeerd van ze dat ze hem niet uit hebben laten praten. Hoewel ik geen moment twijfel aan de eerlijkheid van het verslag van juffrouw Salzmann en er ongetwijfeld een paar mensen met dingen gegooid zullen hebben, kan ik niet geloven dat Andy er daar een van was. Ik kan me gewoon niet voorstellen dat die vredelievende vegetariër 'een schaal vleeswaren oppakte'. Voorts is hij, als het gaat om zijn gedrag tegenover de vrouwelijke sekse, een buitengewoon hoffelijke man. Het is nauwelijks te geloven dat hij opzettelijk twee grote, chocolade handafdrukken op de blouse van Eunice Baker gesmeerd zou hebben, zoals uw verslaggeefster beweert. Het schijnt niettemin dat de politie werd gebeld, en die arme Andy in tranen werd afgevoerd.

Dit verslag valt gewoon niet te rijmen met de Andy die ik ken. Díé Andy is een rustige, waardige man die op zijn privacy is gesteld. Het soort emotionele uitbarstingen dat uw verslaggeefster beschrijft – schreeuwen, 'zijn middelvinger opsteken', met eten gooien en wenen – stroken niet met zijn karakter. Hij is een ouderwetse heer van Engelse snit, inclusief het accent. Ik weet dat sommige mensen zich ongemakkelijk voelen als hij met dat accent tegen ze praat, aangezien ze vermoeden dat het een soort grap is, maar ze weten het niet zeker genoeg om ook daadwerkelijk te lachen. Maar zelfs als hij, zoals ze vermoeden, opzettelijk onuitstaanbaar is, dan nog is er een groot verschil tussen onuitstaanbaar zijn en met dingen gaan gooien.

Dus toen ik uw artikel las, stond ik voor een dilemma. Ofwel uw verslaggeefster vergiste zich op het leugenachtige af, ofwel Andy had een ernstige zenuwinzinking gehad. Ik ben al vele jaren abonnee van de *Current* en kan onmogelijk geloven dat een van uw werknemers opzettelijk leugens zou verkopen, dus zie ik me genoodzaakt de tweede verklaring in overweging te nemen. In mijn vorige brief schrok ik ervoor terug in Andy's privéleven te graven, omdat ik bang was dat ik zijn vertrouwen en genegenheid zou verliezen. Maar nu dit nieuwe schandaal zich voordoet, vind ik dat ik voor zijn eigen bestwil mijn mond open moet doen, ongeacht de consequenties. Hoe moeten mensen hem anders ooit begrijpen?!

In die brief beschreef ik de vele aardige dingen die hij voor me heeft gedaan sinds ik na mijn ongeluk alleen achterbleef, zonder mijn beide benen te kunnen gebruiken. Hij was het grootste deel van die periode getrouwd, en het moest me wel opvallen dat het geen gelukkig huwelijk was, hoewel hij daar nooit iets over zei. Hij vond waarschijnlijk dat ik zelf genoeg problemen had en niet ook nog naar de zijne hoefde te luisteren. Zijn echtgenote was een vrouw met vereelte gevoelens. IJdel, hebzuchtig en opvallend mooi, op een breekbare manier. Haar schoonheid moet die arme Andy verblind hebben. Hij behandelde haar als een prinses. Hoewel hij nooit een vermogend man is geweest, was hij eigenaar van een bloeiend bedrijf dat hen beiden in een bescheiden maar comfortabel onderhoud had kunnen voorzien, als zij zich een beetje had beheerst. Maar zij moest altijd meer hebben – meer kleren, waaronder een leren pak, grotere auto's, nog meer uitgebreide vakanties, een grotere tv. Het duurde niet lang voor ze die arme Andy had 'geruïneerd', om hem vervolgens af te danken als een oude schoen. Hij had moeite zijn zaak overeind te houden – en zijn vrouw uit de rode cijfers – en die inspanningen slokten alle tijd en energie op die hij nodig had voor zijn echte werk. En dat is het tragische. Niemand zal waarschijnlijk ooit weten wat er in die jaren verloren is gegaan.

Hoewel Andy me onder dagelijkse attenties bedolf – altijd

wel iets, al was het maar een glimlach –, liet de situatie van een diep getroffen buurvrouw zijn vrouw koud. Als ze langs mijn huis beende om te gaan zonnebaden in het park (ze was altijd erg gebruind) keek ze niet eens mijn kant op, hoe hard ik ook tegen het raam tikte. En ik heb dingen gezien. Ik zou nooit iemand bespioneren, maar ze deed er ook nauwelijks geheimzinnig over. En ze wist dat ik achter het raam zat, ook al weigerde ze op mijn getik te reageren. Het was hartverscheurend om haar zo vrij in en uit te zien lopen met mannen die nog niet half zo oud waren als zij, en om hem dan later thuis te zien komen. Fluitend, opgaand in een literaire wolk misschien, of een blad bekijkend dat hij had opgeraapt van het trottoir. Dat was uiteraard in het begin, voor hij erachter kwam. Ik moet maar niet meer zeggen, denk ik.

Later, toen hij het wist, na de stormachtige maanden en toen zij eenmaal op een motorfiets naar graziger weiden was vertrokken, zag ik dat hij veranderde. Hij liep niet meer fluitend over straat. En toch bleef hij dapper doorwerken, zat elke dag om zes uur 's morgens achter zijn bureau, zelfs in het weekend. Ik heb veel eenzame uren te doden, maar de strapatsen van de kleine, bruine vogeltjes die ik soms in de bomen en struiken voor mijn raam zie, kunnen me vermaken. Daarom heb ik altijd een sterke verrekijker bij de hand. Omdat ik me sinds het vertrek van zijn vrouw zorgen maakte om Andy, ving ik hem soms in de lenzen van mijn apparaat als hij aan zijn bureau achter het raam op de bovenverdieping zat te werken. Op die manier hoopte ik zijn dips op te merken voor ze te erg werden. Een paar jaar geleden had ik nog een man rustig zien schrijven, misschien zo nu en dan een pauze nemend om bedachtzaam uit het raam te kijken, het soort man dat in vroeger dagen 'een geletterd heer' werd genoemd. Hij had misschien hooguit op het puntje van zijn potlood gekauwd of aan een onwillig oor gekrabd. Dat was nu wel anders! Nu zie ik vaak een verwrongen gezicht als gevolg van wat wel ondraaglijke innerlijke kwellingen moeten zijn. Zijn gezichtsuitdrukkingen en gebaren zijn uitvergroot, overdreven, zelfs grotesk geworden – ze deden me denken aan de theatrale verwrongen gezichten die je in oude stomme films ziet. Soms doet hij zijn mond open en trekt zijn lippen op van zijn tanden in een afgrijselijke grimas, of hij doet zijn onderkaak naar voren en naar achteren, alsof hij wil nagaan of hij geblesseerd is. Op andere momenten plukt hij aan de toefjes haar aan de zijkant van zijn hoofd, net boven zijn oren, alsof hij zijn arme schedel uit elkaar probeert te trekken. Hij breekt potloden en zelfs balpennen in tweeën, soms met zijn tanden, en gooit of spuugt de stukken uit het raam. Hij schrijft een paar minuten als een bezetene en streept vervolgens alles door, krast zo woest dat zijn geheven ellebogen in de lucht wapperen alsof hij roert in een kom dik beslag. Soms maakt hij een prop van het papier en propt die in zijn mond. Het is afschuwelijk.

Ondertussen zijn de aanvallen op hem alleen maar heviger geworden. Vanwege mijn aandoening kan ik geen kunstmanifestaties meer bijwonen, maar niettemin ben ik altijd kleine jaarlijkse bijdragen blijven geven aan de Bond ter Bevordering der Kunsten in onze regio, zelfs nadat Andy me had verteld dat het pure zwendelarij was. In ruil voor die bijdragen kreeg ik een abonnement op *The Art News*, hun maandelijkse nieuwsbrief. Een jaar of wat geleden startten ze een stripreeks die *De wereld van Winkstacker* heette, die duidelijk op Andrew gebaseerd is. Hij wordt wreed afgebeeld met een enorm lijf en een klein kogelkopje, en altijd een korte broek aan die hem te krap zit. En er worden hem ook de meest idiote dingen in de mond gelegd. Het zijn kwetsende karikaturen, en nog vulgair ook, met allerlei seksuele toespelingen, en ik begrijp niet dat degene die ze tekent 's nachts kan slapen. Volgend jaar krijgt de Regionale Bond ter Bevordering der Kunsten geen dubbeltje meer van me. Ik begrijp niet hoe die mensen, van wie er velen naar de kerk gaan waar ze een god vereren die werd vervolgd door mensen zoals zij, zo weinig medeleven met Andy kunnen betuigen.

Het is me opgevallen dat er de afgelopen paar maanden een nieuwe glans in zijn doffe ogen is verschenen. Ik wist dat het een teken was van een man die tot het uiterste is gedreven. Tot het uiterste waarvan kon ik niet precies vaststellen, hoewel die glans maar al te veel leek op de glans die mijn man in zijn ogen kreeg op de avond dat hij voor het laatst achter het stuur stapte. Uit uw artikel maakte ik op dat het de rand van een zenuwinzinking was! Laat degenen die hem haten maar grinniken. De rest van de wereld zal treuren.

Hoogachtend,
Dyna Wreathkit

§

Beste Fern,

Er zijn nauwelijks twee weken verstreken sinds de vorige keer dat ik je schreef. In die brief kon ik het nog met mijn gebruikelijke strijdlustige opgewektheid over het festival hebben. Sindsdien is er niets gebeurd, en alles tegelijk, en de gevoelens die ik er toen uitflapte, komen me nu net zo verjaard en onleesbaar voor als de krant van gisteren die buiten in de regen is blijven liggen en op het gazon tot pulp vergaat. Ik ben niet eerlijk tegen je geweest. Ik ben niet eerlijk tegenover mezelf geweest. Feit is dat het voertuig van mijn leven een cul-de-sac in lijkt te zijn gezwenkt. Ik ben ermee tegen een bakstenen muur gereden. Hij ziet er precies zo uit als de muur achter mijn lagere school, waar ze me altijd dwongen tegenaan te staan, terwijl ze dingen naar me gooiden. Ik wil daar niet meer staan.

Ik heb tien jaar lang gevochten voor andere schrijvers – voor de Kunst zelf – tegen de puriteinse inspanningen van de cultuurbarbaren van de zogenaamd ontwikkelde klasse van deze staat in om die te vernietigen. Omhuld door het gesteven corduroy van hun vooroordelen werd ik bijna verstikt, hoewel ik me, terwijl ik werd gewurgd, tegen hen bleef verzetten. Ik ben beschimpt, belachelijk gemaakt, gekleineerd en, jawel, afgebeeld in primitief getekende strips door opportunisten, kontlikkers en vrouwelijke lomperiken. Ik groef een schuttersputje – dat *Soap* heette – en vuurde vandaar uit op de bewapende schare van de Burgers ter Bevordering van Genoeglijkheid, de sinistere brigade van de Bond ter Bevordering der Kunsten, de voortmarcherende hordes van de Wederzijds Nabauwende en Masturberende Coterietjes van Dichters en Schilders. En al die tijd moest ik, om mijn lichaam en geest op de been te houden terwijl ik dat werk deed waar ik nooit een dubbeltje voor betaald heb gekregen, van deur tot deur gaan in een poging absurd lage huurbedragen op te halen bij ondankbare en lijntrekkende huurders die geen enkel respect hebben voor andermans eigendom, die er geen been in zien in hun gerafelde ondergoed de deur open te doen als je aanbelt en die me, als ik ook maar enige tekenen van zwakte vertoon, belagen met brandende voorwerpen en grote stukken beton. Waar ik ook heen ga, de ogen van de politie zijn altijd op me gericht, terwijl krankzinnige auteurs zich in de bosjes achter mijn huis mogen verschuilen. Ik ben gevallen en niemand heeft me overeind geholpen. Mijn wijsvinger is blijvend verminkt door een medische charlatan. Ik word omringd door dozen. En nu heb ik er eindelijk genoeg van. Ik weet hoe ik B-A-S-T-A moet spellen! Ik zal het slagveld zonder schaamte overlaten aan mijn vijanden, vruchtbaar van hun geronnen bloed. Laat ze maar gnuiven. Laat ze maar hinniken van genoegen. Ik moet mijn boeken schrijven. Ik ga voor mijn eigen geluk …

Ik weet niet hoe ik verder moet met deze brief, zelfs niet of ik wel verder moet gaan. Ik vraag me af of het niet beter zou zijn er een prop van te maken, zoals ik al verscheidene keren heb gedaan, en die boven op de kleine piramide in de hoek te gooien. Terwijl elke prop boven op de berg landt en onvermijdelijk naar beneden rolt, bedenk ik wat een mooie metafoor dat voor mijn leven is, op de top landen en vervolgens hulpeloos naar beneden rollen. Welke Auteur, vraag ik me af, heeft me hier neergesmeten? Ik kijk omhoog, zoals velen voor mij, in de hoop Daarboven een antwoord te vinden, maar zie slechts een gestuukt plafond vol scheuren en een lampenkap van melkglas gehuld in spinnenwebben. Ik woon, zoals ik je misschien al eens heb verteld, alleen in een oud, victoriaans huis. Het heeft een rijk versierde, statige somberheid over zich. En vanavond is het er heel stil. De spreekwoordelijke speld zou, als hij mocht vallen, als een donderslag inslaan. Ik kan mijn eigen ademhaling horen. Hijgerig, zwaar van emotie: als het mijn eigen ademhaling niet was, zou ik er bang van worden. Afgezien daarvan zijn de enige geluiden die je hoort het tikken van de staande klok – wat me altijd aan mama doet denken, aangezien het haar klok was – en het doffe geflap van mijn slippers als ik naar de wc klepper of verdoofd naar de keuken stommel om nog wat te drinken te pakken. Om me moed in te drinken! Ik zit en denk. Ik schrijf met een balpen, dus je hoort niet het eeuwenoude gekras van de ganzenveer of zelfs maar de vulpen, en ook geen getik van sneeuwvlokken tegen het raam, zoals je gehoord zou hebben als ik Tsjechov was geweest en dit Rusland. Alleen het droge geritsel van papier is er af en toe nog wel. Dat is in elk geval nog niet veranderd. Ik breng het glas naar mijn lippen, schrik van het bittere, wilde geschater van de ijsblokjes. Hoe zou ik, die leeft van woorden, ze nou ineens niet meer kunnen vinden? Ik kauw op het puntje van mijn pen. Ik knaag en ik droom. Ik heb vreemde fantasieën. Ik zie jou in een schommelstoel zitten, in een nachtjapon met een blauwe bloemenprint, je voeten in slippers, misschien die grappige slippers die eruit moeten zien als konijntjes met plastic ogen en roze oortjes, terwijl ik je voorlees uit mijn vertaling van Catullus. Lijkt dat je vergezocht? Je schrijft niets over de discrete woorden van affectie die mijn twee vorige brieven bevatten. Dat brengt me in verwarring. Waren ze te subtiel en heb je ze over het hoofd gezien? Waren ze te duidelijk en kromp je ineen? Waren ze te onhandig en ben je erover gestruikeld? In mijn gekweldheid knaag ik als een bezetene en spuug stukjes plastic op de vloer.

Als je schrijft dat Crawford je in die houding legde, bedoel je dan dat ie dat met zijn hánden deed? Ik zie hem voor me. Niet fit, kwabbig en kwijlend. Ik zie zijn bierbuik, die smerige pompoen, die de knoopjes van zijn overhemd amper kunnen houden. Verdedig hem niet! Ik zie zijn smerige, bloeddoorlopen ogen door de zoeker van de camera gluren. Wat bedoel je met 'op de begane grond'? Op de grond bij hem thuis? Heeft hij überhaupt een huis, of was het het smerige tapijt van zijn trailer? De beelden stromen binnen als water door een gebroken dijk. Ik hou mijn hoofd in mijn handen en wil over de vloer rollen. Luister nou, Fern! Ik weet alles van camera's. Ik heb ooit een Leica M3 gehad.

Andy

$\int$

Mijn liefste Fern,

Er is de laatste tijd zoveel gebeurd, zowel goede als slechte dingen, en ik heb het gevoel dat ik er tot over mijn oren in zit. Ik ben gisteren begonnen aan een brief aan jou. Nee, ik heb gisteren een brief aan je afgemaakt. Ik heb hem zelfs door de gleuf van de brievenbus gegooid, om er meteen mijn arm achteraan te steken en hem er weer uit te grissen. Wat een lelijke schram op de rug van mijn hand heeft achtergelaten. Ik ben nog niet toegekomen aan het maken van die leeslijst waar je om vroeg, hoewel ik daar gisteren ook een begin mee heb gemaakt. Ik heb niks van je gehoord op mijn uitnodiging. Ik moet gauw meer weten. Jouw stilzwijgen lijkt onderdeel van een grotere storing in de organisatie. Ik heb geen oog dichtgedaan, en nu is het ochtend. Ik ben totaal niet moe. Ik weet dat het bespottelijk klinkt, maar ik heb een bijna onwankelbare overtuiging dat ik nooit meer hoef te slapen. Ik zit aan de keukentafel met een verse kop koffie. Door het raam zie ik zonlicht op de toppen van de hogere bomen. Ik heb naar de foto's in een geïllustreerde encyclopedie van zoogdieren gekeken die ik op de keukentafel heb liggen om iets te hebben om naar te staren als ik zit te eten. Ik ben gaan zitten met de bedoeling je te vertellen over de dood van mijn moeder, over mijn moeder die onlangs is overleden, zoals ik je vast al heb verteld, en hoe ik daarover en over haar denk, en waarschijnlijk ook wel iets over mijn zus en mijn vader, aangezien die bij het plaatje hoorden, aangezien ik niemand bij de hand heb om mee te praten, maar in plaats daarvan zal ik je vertellen over de boomluiaard, aangezien dat een schepsel is waarmee ik me persoonlijk erg verbonden voel.

Boomluiaards worden door bijna iedereen miskend, inclusief de zogenaamde wetenschappelijke gemeenschap, waarin mensen juist een poging zouden moeten doen de moeilijk-te-begrijpen feiten over deze weinig innemende wezens te begrijpen, die, in tegenstelling tot kangoeroes, niet met hun ziel te koop lopen. De voorkeur van de natuur voor kwaadaardige schelmerij, die op zoveel plekken evident is, ontgaat de wetenschappelijke geest, die maar humorloos voortploetert, voortdurend, en dat hun die voorliefde is ontgaan, heeft het bijna onmogelijk gemaakt de luiaard te begrijpen, aangezien die, naar mijn mening, de tragische slachtoffers zijn van een van de wreedste grappen van de natuur.

In tegenstelling tot de mokkende eenzaten die in dierenplaatjesboeken worden afgebeeld, zijn luiaards in wezen verbijsterend hartelijke types (ik schreef bijna 'typetjes', hoewel ze natuurlijk vrij groot zijn; alleen ga je ze heel leuk vinden en 'typetjes' lijkt beter bij dat gevoel te passen). Sterker, van nature houden ze meer van gezelschap dan honden. Maar wie heeft er ooit gehoord van een roedel luiaards? En hoewel ze overlopen van het verlangen om te kwispelen, hebben ze geen staart waarmee ze dat kunnen doen, een gemis dat hun problemen perfect samenvat. In plaats van in groepen rond te dartelen zijn ze gedwongen (dat is het wrede-grap gedeelte) hun dagen in volstrekte eenzaamheid te slijten, waarbij ze het handjevol wakende uren dat de natuur hun verleent met gletsjerachtige traagheid tussen de takken van een enkele grote boom kruipen, voor sommige observanten tot bijna gek wordens toe. Hun huis, hun stad, hun wereld bestaat uit die ene boom.

Dat vinden ze uiteraard afschuwelijk. Want ze zijn niet alleen bijna overdreven sociaal, ze zijn ook snel van geest – in gunstiger omstandigheden zou je zeggen dat ze sluw als een vos waren – en ze worden dol van de larfachtige traagheid waarmee ze gedoemd zijn te kruipen, de saaiheid van het uitzicht dat ze op een slakkengangetje passeren, om nog maar te zwijgen van de simpele onrechtvaardigheid van dat alles. Ze worden zelfs regelmatig krankzinnig, als enige soort naast de mens waarbij krankzinnigheid ook regelmatig voorkomt. Sterker, krankzinnigheid is onder luiaards zo wijdverbreid dat we dat waarschijnlijk als hun normale staat moeten beschouwen, met mentaal evenwicht – dat toch alleen in de eerste paar jaar van hun bestaan voorkomt, voor het volledige besef van hun toestand tot hen doordringt –, als een jeugdige aberratie.

Terwijl ze langs een tak omhooggaan, knabbelen ze zo nu en dan aan het dikke gebladerte dat hen als verstikkende groene wolken omringt, waarbij ze het ene blad grondig fijnkauwen voor ze centimeter voor centimeter voortklimmen naar het volgende. Je kunt je voorstellen hoe smakeloos zo'n eentonig dieet na een paar jaar moet lijken, en hoe zat ze het raken. Er wordt zelfs gedacht dat uithongering de voornaamste doodsoorzaak onder volwassen luiaards is, ze kunnen het op den duur gewoon niet meer door hun keel krijgen. Als uitdrukking van dat alles, als een onvermijdelijk gevolg ervan zelfs, heeft de luiaard zonder twijfel een van de meest meelijwekkende roepen uit het hele dierenrijk ontwikkeld. Terwijl ze zich een weg door de bladeren banen, brengen ze een constante reeks zachte, wanhopige piepgeluidjes voort via hun neus. Dat doen ze door hun neusgaten met twee van hun grote, platte tenen dicht te stoppen. Vervolgens proberen ze krachtig uit te ademen door hun neus waardoor er een aanzienlijke interne druk ontstaat, die ze met explosief gevolg laten ontsnappen door beide tenen plotseling met een snelle, voorwaartse beweging van hun neus te halen. De fluittoon die daar het gevolg van is, is weliswaar niet bepaald luid, maar draagt wel verbijsterend ver. En hij bevat zo'n pathos en droefenis, dat inheemse mensen liever hun oren bedekken en wegrennen dan er ook maar een seconde naar te luisteren, zelfs als dat betekent dat ze de bananen achter moeten laten of wat ze ook maar dragen, een wrattenzwijn misschien dat ze net aan hun speer hadden geregen en waarmee ze een talrijk gezin hadden gehoopt te voeden. Ze horen vele malen liever het gekrijs van een hut vol hongerige kinderen, al duurt dat eindeloos, dan zelfs maar een moment de roep van de luiaard! De luiaard, op zijn beurt, lijkt helemaal geen oren te hebben en kan zichzelf dus waarschijnlijk niet horen, het enige lichtpuntje in het duistere bestaan van dit wezen. Omdat hij niets nieuws of ook maar iets interessants aan zijn boom kan ontdekken, die weliswaar enorm is maar toch maar een boom, geeft de luiaard het uiteindelijk helemaal op en raakt hij zelfs de wilskracht kwijt om een paar dikke tenen in zijn neusgaten te proppen. Op dat moment gaat hij zijn laatste stadium in, dat 'de grote stilte' wordt genoemd, waarin hij de hele dag ondersteboven blijft hangen. In een stilzwijgende somberheid gewikkeld zinkt hij steeds verder weg in een fantasiewereld van prettig gezelschap en een vrolijk sociaal leven. Kolonies insecten planten zich voort in zijn vacht, en hij steekt geen klauw uit om zich te krabben. Geleidelijk aan groeit er een dikke laag mos op hem, tot hij nauwelijks meer is dan een groene bobbel op een tak, tot hij op een dag, verzonken in zijn dromen, vergeet zich vast te houden en doodvalt op de bosgrond.

Ik kan de roep van de luiaard bijna exact imiteren. Dat lukt, denk ik, omdat ik al zolang ondersteboven hang. En als ik niet ondersteboven hang, dan zit ik in bad.

Andy

❡

Lieve Vikki,

Sorry dat het zo lang heeft geduurd voor ik reageerde op je brief, die zo aardig en vol oprechte bezorgdheid was, en om je te bedanken voor het geld. Ik heb afgelopen week vier dagen op bed gelegen, door voedselvergiftiging, denk ik. Ik had achter in de koelkast een pakje knakworstjes gevonden, waar ze god mag weten hoelang hadden gelegen, aangezien ik de koelkast al behoorlijk lang niet meer had opengedaan, omdat ik niet verwachtte dat er nog iets in zat. Ik dacht dat ik ze wel kon eten als ik de blauwe stukjes eraf sneed, maar blijkbaar niet. Ik heb een sprei en een kussen de wc in gesleept en daar op de vloer geslapen. Regelmatige geisers aan twee kanten en afgrijselijke krampen. Ik dacht echt dat ik doodging. Ik heb overwogen naar het ziekenhuis te gaan, maar dat leek me te veel gedoe, aangezien ik ofwel mezelf erheen had moeten rijden of naar een van mijn buren had moeten kruipen. Ik ben nu blij dat ik geen telefoon heb, want ik weet zeker dat ik nooit de standvastigheid had gehad om niet te bellen als dat mogelijk was geweest. Ik gruw nu als ik bedenk hoe ik jou en Chumley hierheen had laten racen, wetend wat dat jullie beiden had gekost. Toen ik daar zo op het linoleum lag, was het vooruitzicht dat ik zou sterven minder kwellend dan de gedachte dat ik, als ik inderdaad doodging, mijn leven had verspild.

En toen, bijna plotseling, was het achter de rug. Om vier uur dacht ik dat ik mijn laatste adem aan het uitblazen was, maar om zeven uur ging het weer. Ik was nog niet zo fit als een hoentje maar fit genoeg om naar beneden te lopen als ik me stevig aan de leuning vasthield. Ochtendlicht stroomde door het keukenraam naar binnen. Ik roosterde een snee oudbakken brood. Ik heb nog nooit zoiets verrukkelijks geproefd. Ik denk dat ik maar eens een paar dagen vrij neem.

Veel liefs voor jullie allebei,
Andy

❡

Aan de redactie,

Ik was teleurgesteld over de manier waarop de *Current* verslag deed van de Kunsten in het Park Picknick van dit jaar. De fouten waren talrijk en kwetsend. Ze stapelden zich op, rolden van de hellende vlakken van de waarschijnlijkheid, waarbij ze onderweg platitudes en flarden geroddel oppikten, om vervolgens aan onze voeten neer te komen als een grote, komische bal. Met 'onze voeten' bedoel ik die van mezelf en mijn echtgenoot Henry. De cascade van miskleunen begon met het artikel van Melissa Salzmann dat pretendeerde de gebeurtenissen te beschrijven, en werd nog eens versterkt door de vertrouwde woedende bombast van ene dokter Hawktiter en de vage overpeinzingen van een zekere Dyna Wreathkit. De grote, leugenachtige bal die daar het gevolg van was kwam, zoals ik al zei, aan onze voeten tot stilstand. Toen Henry en ik hem openmaakten, kunt u zich voorstellen hoe verrast we waren om die arme Andrew Whittaker erin aan te treffen, opgerold en treurig teruggebracht tot voer voor de roddelbladen. Als twee mensen die aanwezig waren bij de picknick, *témoins oculaires*, als u me een paar woordjes Frans toestaat, die geen persoonlijke wrok tegen de betrokkenen koesteren, vroegen we ons na het lezen van uw artikel en de daaropvolgende brieven af of we wel ooggetuigen bij dezelfde gelegenheid waren geweest.

In de afgelopen paar jaar, sinds Henry terugkeerde van zijn laatste post in Zürich, hebben we het grootste deel van onze tijd op de ranch doorgebracht, waar hij zich op zijn uitvindingen kan concentreren zonder zich zorgen te hoeven maken om de buren. Maar desalniettemin zorgen we wel dat we elk jaar naar de kunstenpicknick gaan. En elk jaar ben ik van hoop vervuld dat er enige tekenen zullen zijn dat de grote geldsommen waarvan Henry, als geboren Rapid Fallser, vindt dat hij ze moet doen toekomen aan de verschillende kunstenfondsen die onze brievenbus met rituele smeekbedes overspoelen, vrucht beginnen te dragen. Zo niet vrucht, dan toch in elk geval bloemen of een paar schrale knopjes. Maar er valt nooit iets van te zien, en toen ik hopeloos tussen de stalletjes met kunstnijverheid had gedwaald en somber voor de schilde- rijen en beeldhouwwerken in de grote tent stond, en terwijl ze Henry stroop om de mond smeerden, zag ik dat het dit jaar niet anders zou zijn. Ik was diep teleurgesteld. Henry stuurt die mensen een hóóp geld. Er lag echter, zoals we ontdekten kort nadat we ons picknickmandje hadden uitgestald op het gras, wel één levendig nieuw element in het verschiet, dat niets te danken had aan al die groepen die altijd achter hem aan zitten. De poëzielezing was net begonnen, en ik hielp Henry op onze quilt, zorgde dat hij niet op de ijsemmer ging zitten, toen onze aandacht werd getrokken door de gestalte van een grote, slordig uitziende man met een opvallend klein hoofd die met lange, soepele stappen aan kwam snellen van achter de bomen aan de rand van het park. Het was, ontdekten we later, de schrijver en uitgever Andrew Whittaker. Eerst zagen we hem aan voor een landloper of een zwerver. Dat kwam door hoe zijn kleren eruitzagen – er zaten op beide knieën van zijn broek grote, rafelige gaten – en door hoe hij zich op het buffet stortte, alsof hij in geen weken een fatsoen- lijke maaltijd had genoten. Het klinkt wreed om het toe te geven, maar het was al onderhoudend om hem zo tekeer te zien gaan. We zien zelden ongewone dingen op de ranch, en Henry vond het fantastisch. De man leek eerst volkomen op te gaan in de aardappelsalade, die hij met zijn vingers naar bin- nen schoof. Daarna was hij geruime tijd bezig met het vol- stoppen van zijn jaszakken met brownies, of moet ik zeggen 'proberen vol te stoppen', want hij leek er meer in te willen krijgen dan in de zakken pasten, en telkens als er eentje op de grond viel, wat herhaaldelijk gebeurde, stampte hij erop en drukte hij hem met de punt van zijn schoen in het gras. Een hele tijd daarna bleef hij daar gewoon staan schransen. Hij leek in een soort trance te verkeren, of staand in slaap te suk- kelen. En toen kwam hij plotseling, en voor zover wij konden zien zonder aanleiding, weer tot leven. Hij pakte een vouwstoel en baande zich, terwijl hij die hoog boven zijn hoofd droeg, een weg door de picknickers die op dekentjes rondom het podium zaten, zijn benen hoog optillend om over de hoofden van mensen te stappen en over hun dekens banjerend. Hij droeg slangenleren laarzen waar hij moeilijk op leek te kunnen lopen. Hij zei op luide toon 'pardon, pardon', en liep zo te slingeren dat sommige mensen op zijn pad op handen en voeten wegkropen, terwijl een dichteres op het podium ondertussen haar gedicht probeerde voor te lezen. Ze moest harder praten, zodat mensen haar konden horen, maar zijn pardons werden ook alleen maar harder, want hij had een zware stem, hoewel zij een microfoon had. Ze schreeuwde inmiddels, tegen de tijd dat hij bij het podium was aangekomen, waar hij zijn vouwstoeltje met een klap uitvouwde (het was een metalen vouwstoel) en ging zitten. Eigenlijk zakte hij neer als een zoutzak, met zijn armen voor zijn borst en zijn benen uitgestrekt voor zich. Het was een heel uitdagende houding, en we voelden aan dat de dingen een interessante wending zouden nemen.

Maar interessant is te zacht uitgedrukt voor wat er daarna gebeurde. De gebeurtenissen zelf zijn getrouw genoeg weergegeven in uw huichelachtige artikel en later in de serieuze en karakteristiek hoogdravende brief van dokter Hawktiter. Die zijn het over de kale feiten min of meer eens. Maar kale feiten moeten worden ingebed in een context, bestaan zelfs niet zonder context, zoals iedereen weet als ze er ook maar een seconde over nadenken. Uiteindelijk missen beide zogenaamde ooggetuigen het punt volledig, en dat doen ze om dezelfde reden: ze gaan er allebei blindelings van uit dat Whittaker op de een of andere manier was 'doorgedraaid' of dat, om het te zeggen in de woorden van die politieagent die in uw artikel wordt aangehaald, 'de stoppen bij hem doorsloegen'. Het enige verschil tussen hen beiden schuilt in de vraag of ze hem, over het algemeen gesproken, gunstig gezind zijn. Of ze, met andere woorden, 'aan zijn kant staan' of niet. Ze lijken geen van beiden te vermoeden dat hij misschien helemaal niet was 'doorgedraaid', maar dat hij zichzelf volledig onder controle had. En niet alleen zichzelf maar ook het publiek. Dat alle stoppen intact waren en dat het hele voorval misschien wel gewoon zijn eigen, excentrieke bijdrage aan de kunstmanifestatie was. Ik geloof, *au contraire*, dat Whittaker, middels de georkestreerde chaos van zijn herhaaldelijke interventies, begeleid door een koor van boegeroep waar het gelach van twee mannen achter in het publiek en het gegiechel van Henry maar net bovenuit kwamen, de verzamelde picknickers probeerde te dwingen zichzelf de vraag te stellen die iedereen in Amerika zichzelf tegenwoordig lijkt te stellen, namelijk: wat is kunst? Is kunst een fotolijstje beplakt met curieuze schelpen en kleine, zilvergeverfde dennenappeltjes? Is kunst een gedicht over de slippers van een stervende grootmoeder, hoe droevig en versleten en op sommige plekken toch nog roze die ook zijn? Is kunst een schilderij van bizons die tot aan hun knieën in een zee van verdwenen helmgras staan, of wat dat spul ook is? Of is kunst vleeswaren die als frisbees boven al die dingen zweven? Het is aan uw lezers om over die vraag na te denken. Ondertussen heeft Henry er al over nagedacht, en hij weet wel waar zijn geld in de toekomst heen gaat.

Hoogachtend,
Kitten Hardway

❡

Beste Harold,

Ik heb besloten dat ik bij je langskom zodra ik de juiste outfit kan vinden.

Ondertussen zal ik je alvast een grappig verhaal vertellen. Aan de overkant van mijn huis staat een lelijke, bakstenen duplexwoning, een karakterloze doos met een metalen luifel boven de voordeur. De benedenverdieping wordt bewoond door een vrouw alleen – verlept, van middelbare leeftijd, in een rolstoel. Haar huid is zo bleek dat hij gebleekt lijkt. Hoewel haar appartement meerdere kamers moet hebben, brengt ze al haar tijd door in een kamer aan de straat. De televisie staat altijd aan in die kamer, en toch heb ik haar er nog nooit naar zien kijken. Ik heb haar nooit zien lezen. In plaats daarvan kijkt ze uur na uur uit het raam. Zelfs 's avonds heb ik haar weleens met haar voorhoofd tegen het glas gedrukt zien zitten. Soms kijkt ze blootsoogs, als het ware, maar ze tuurt minstens zo vaak door de grootste verrekijker die ik ooit heb gezien. Ze ziet er behoorlijk breekbaar uit, uitgemergeld zelfs. Die verrekijker moet extreem zwaar zijn, en het is een wonder dat ze hem tot op ooghoogte kan ophijsen, laat staan hem daar zonder trillen houden. Ik kan persoonlijk getuigen dat ze daar vele minuten lang toe in staat is, aangezien ik in de loop der jaren vele vreemde momenten heb doorgebracht ingesloten binnen de nieuwsgierige cirkels ervan. Ze zit, als ik naar de overkant kijk, bijna op elk uur van de dag bij het raam, waar ze haar lenzen mijn richting op zwaait zodra ze een glimp van me opvangt. Met haar puntige kin, stompe neus en driehoekige gezicht dat naar boven toe breder wordt tot bij de enorme uitpuilende lenzen op de plek waar haar ogen horen te zitten, en met die magere, steelachtige armen die aan weerszijden van haar hoofd uitsteken en de verrekijker ondersteunen, doet ze me denken aan een gigantische vlieg, een enorme, grappige vlieg. Het zou me niet verbazen als ik haar zou horen zoemen. En toch lijkt ze in haar gedrag meer op een spin. De banaalste gebeurtenis in onze ontzettend gewone straat – een postbode die langsloopt, fluitend misschien, of zachtjes vloekend, zoals altijd; of een eekhoorn met een pluimige staart die een eik in scharrelt of naar een hapje graaft dat hij moeilijk te pakken kan krijgen in de grassige rand tussen het trottoir en de weg; of zelfs, gegeven de krachtige vergroting van haar instrument, een klein insect, een lieveheersbeestje met aantrekkelijke stippen bijvoorbeeld, dat moeizaam een lantaarnpaal in klimt – en zij slaat meteen toe, draait aan de scherpstelknop tot ze het gevangen heeft in de dodelijke greep van haar halve bollen.

Haar nieuwsgierigheid lijkt nooit te verslappen, en, afhanke-
lijk van je stemming en wat je ervan vindt om van zo dichtbij
bekeken te worden, kan een wandelingetje door onze straat
behoorlijk beangstigend zijn. Het is pijnlijk om te bedenken
hoe saai een leven moet zijn dat iemand tot zulk gedrag drijft.
En ik kan het uiteraard niet helpen dat ik dat elke keer bedenk
als ik die kant op kijk, wat ik moeilijk kan vermijden als ik de
straat op wil. Voor zover ik kan beoordelen verlaat ze haar
woning nooit, en komt ze ook bijna nooit die ene kamer aan
de straatkant uit en gaat er, afgezien van bezorgingsdiensten
en soms een enkel verpleegsterachtig type, nooit iemand naar
binnen. Ik zou natuurlijk af en toe een bezoekje aan haar kunnen brengen, binnen komen vallen met koekjes en een goed
boek, en daar heb ik ook wel over gedacht, maar ik weet dat ik
het nooit zal doen. Ik ben bang dat ik verstrikt zou raken in
het leven van zo'n behoeftig iemand, als het ware gevangen in
haar tentakelachtige armen. Ik realiseer me dat dat harteloos
klinkt, en uiteindelijk heb ik iets bedacht dat volgens mij vele
malen onderhoudender is dan op visite gaan. Ik voer in plaats
daarvan kleine showtjes voor haar op. Ik noem ze afleveringen.

   Het theater is mijn raam boven. Daar heb ik een klein bu-
reautje tegenaan gezet waar ik achter ga zitten en doe alsof ik
schrijf (het echte schrijven doe ik aan de keukentafel). Dat doe
ik heel nadrukkelijk. Ik trek de stoel naar achteren, ga zitten,
pak een potlood, probeer de punt, loop naar het raam en slijp
hem, hang naar buiten zodat het slijpsel op de straat dwarrelt.
Ik ga weer zitten, schuif mijn stoel aan, leg het vel papier voor
me in de juiste hoek, en begin te schrijven. Dat ritueel duurt
nooit langer dan een paar seconden, en dan voel ik al dat ze
haar aandacht op me richt. Misschien moet ik zeggen dat haar
aandacht me vastgrijpt, want ik voel altijd een licht schokje
precies op het moment dat ik in beeld ben gebracht, of aanneem dat ik in beeld ben gebracht, omdat ik uiteraard niet in
de positie ben getuige van die gebeurtenis te zijn, als het een
gebeurtenis is. Hoe dan ook, dat schokje is zo licht, vaag zelfs,

dat ik niet zeker weet of ik het een mentaal of een fysiek schokje moet noemen. Het is natuurlijk best mogelijk dat ik me dat schokje alleen maar inbeeld of – en dat lijkt me het meest waarschijnlijk – dat ik echt een schok voel, maar alleen maar omdat ik me heb voorgesteld dat ik plotseling in beeld kom. Hoe het ook zij, feit is dat ik na die schok, of die ingebeelde schok, voel dat ik groter word en vreemd genoeg kleiner tegelijk – ik lijk aan het raam te zitten en toch word ik tegen de kast achter me gedrukt. Ik weet zeker dat, hoe ongemakkelijk het voor mij ook is, die verkleining de afleveringen voor haar een aardige, theatrale aanblik geven.

Met mijn hoofd over mijn papier gebogen, voel ik vanaf het raam aan de overkant een steelse blik, als het ware door mijn wenkbrauwen heen. En daar heb je ze, zoals altijd, de twee cirkels van haar lenzen recht op me gericht. Ik krabbel een paar zinnen neer, en stop even. Ik kauw op het gummetje. Mijn gezicht klaart op – ik heb zojuist de perfecte formulering gevonden! – en werp me met hernieuwde geestdrift op het papier. Ik schrijf nu snel. Ik laat mijn tong tussen mijn tanden door steken als zichtbaar teken van geestelijke inspanning. Ik ben me bewust van haar starende blik op mijn wang, die de omtrek van mijn lippen aftast, blijft rusten op mijn tong, mijn vingernagels bestudeert. Ik blijf een tijdje zo doorgaan, een toonbeeld van de toegewijde krabbelaar, om mijn publiek in slaap te sussen, als het ware, zodat ze weerloos is op het moment dat ik toesla, wat ik in gedachten al repeteer, terwijl ik doe alsof ik rustig verder schrijf.

Als ik het moment rijp acht, wanneer ik een tweede blik naar de overkant werp en een lichte verzwakking in de roerloosheid van haar instrument bespeur, een indutten als het ware, die een verslappende aandacht verraadt, begin ik met mijn hoofd te schudden, alsof ik 'Nee! Nee!' roep op een of ander verborgen gebod. Dat is de eerste, relatief milde manifestatie van de creatieve worstelingen die me binnenkort hulpeloos in hun afgrijselijke greep zullen krijgen. Ik sla om me heen alsof ik door insecten word aangevallen. Ik trek de meest afschuwelijke grimassen die je je voor kunt stellen. Ik trek aan mijn haar, rol met mijn ogen, bijt op mijn lippen en brul. Het ene moment probeer ik mijn oren eraf te draaien, het volgende bons ik met mijn hoofd tegen de tafel en zit ik te snikken. Een keer ben ik te ver gegaan met dat bonzen, de volgende ochtend ontdekte ik een paarse bult op mijn voorhoofd die verscheidene dagen zichtbaar bleef. Op een dag beet ik mijn potlood in tweeën en spuugde de stukken uit het raam. Dat bleek zo effectief – ik zag haar stuiteren in haar stoel van opwinding – dat ik dat in de afleveringen erna herhaalde. Het verschafte een mooie, dramatische finale aan mijn optredens. Maar het kon natuurlijk niet dag na dag hetzelfde effect sorteren. Mijn publiek zou, als een verslaafde, steeds grotere doses nodig hebben om dezelfde kick te voelen, en mijn optreden op dat hoge niveau houden heeft het uiterste gevergd van mijn inventiviteit. Soms sta ik, als ik niet kan slapen, 's nachts op en ga ik voor de spiegel in de badkamer staan oefenen. Ik heb een indrukwekkend arsenaal aan gekwelde gezichtsuitdrukkingen ontwikkeld. Maar desondanks moet ik er verschillende attributen bij halen om de voorstelling op gang te houden. Vazen, bijvoorbeeld, die je op het juiste moment tegen de muur kunt gooien. En T-shirts, in een eerdere fase dunner geworden door het voorzichtige hanteren van een scheermesje, die vreselijk verscheurd kunnen worden.

Afgelopen dinsdag heb ik mezelf zo overtroffen, dat ik het sindsdien niet meer heb aangedurfd op te treden, in de wetenschap dat wat ik ook doe een teleurstelling zal zijn. Ik had een enorme Royalkantoortypemachine uit de kelder gesleept, waar hij de afgelopen tien jaar had staan roesten. Het was een gigantisch apparaat, en hem die laatste trap op krijgen was al een prestatie op zich. Toen ik hem eindelijk op de tafel had gehesen, liet ik me met een klap in de stoel vallen. Het kostte me een paar minuten om op adem te komen, minuten die ze ongetwijfeld gebruikte om haar instrument scherper af te stellen. Ik bedacht dat dit hijgend ineenstorten, hoewel volkomen echt, een passende prelude op mijn optreden was, een sfeerbepalende ouverture van de opera die op het punt stond te beginnen. En toen begon ik te typen, of te doen alsof ik typte, aangezien de meeste toetsen zo verroest waren dat er geen beweging meer in zat. Eerst werkte ik aarzelend, tikte met twee vingers op de toetsen, stopte even om op mijn hoofd te krabben, maar naarmate de creatieve radertjes grip begonnen te krijgen, voerde ik het tempo geleidelijk op. Ik liet de bezetenheid geleidelijk maar onstuitbaar opkomen, tot ik uiteindelijk opstond, de stoel achter me omgooide, en staand verder werkte, voorovergebogen hamerend op de toetsen. En toen hield ik plotseling op, alsof ik door een afschuwelijke laatste gedachte werd getroffen. Ik verborg mijn gezicht even in mijn handen. Ik werd overmand door een vreemd soort verdriet! Ik wankelde naar achter, tegen de muur aan, en stommelde vervolgens naar voren. Ik pakte de schrijfmachine met beide handen vast, tilde hem hoog boven mijn hoofd en, na twee rennende passen, smeet ik hem door het open raam. Een of twee heerlijke seconden van stilte eindigden met een enorme klap. De machine raakte het trottoir en spatte in stukken uiteen. Sommige van de kleinere onderdelen vlogen helemaal naar de overkant van de straat en ketsen af op een geparkeerde auto. Ik wendde me af, maar pas nadat een vluchtige blik bevestigde dat ze wild in haar stoel op en neer zat te wippen. Ik rende naar beneden en gluurde langs het randje van mijn zeil. Ze zat voorover in haar stoel, en een afgrijselijk moment lang dacht ik dat ik haar vermoord had. Maar een paar seconden later tilde ze haar hoofd weer op, en slaakte ik een zucht van verlichting. Ik stelde me haar betraande gezicht voor.

Ik ben mezelf, ondanks mijn theatrale talenten, behoorlijk zat. Wilde jij ook weleens dat je iemand anders was? Ik zou heel graag iemand zijn die Walter Fudge heet.

Je oude vriend,
Andy

⸗

Beste meneer Carmichael,

Dank u voor mama's doos. Ik had iets veel kleiners verwacht. Het is verbazingwekkend hoeveel er nog van haar over is. Wat uw aanbod voor een duurzame urn in passende stijl betreft: toen ik door uw catalogus bladerde, werd ik in verleiding gebracht door het Klassieke Griekse Marmer en ook door het Eeuwigdurende Brons, maar uiteindelijk heb ik uw advies opgevolgd en gewoon om me heen gekeken wat het best in mijn interieur zou passen, en ben ik tot de conclusie gekomen dat de doos waarin u me haar stuurde perfect is.

Ik heb uw factuur ook ontvangen. En hoewel ik op dit moment niets aan u over kan maken, laat ik u graag weten dat ik u boven op de stapel leg.

Hoogachtend,
Andrew Whittaker

§

Beste Fern,

Jij en Dahlberg?

Ik leg mijn hoofd in mijn handen en schud 'm tot ie lacht. Wat een jolige meloen. En dan probeer ik hem te laten huilen, maar dat lukt niet, aangezien hij zoals de meeste oude meloenen hol is.

Toen ik het poststempel van San Francisco op je brief zag, dacht ik dat hij van Willy Laport was om me uit te nodigen naar Stanford te komen.

Het fascineert me dat je San Francisco heuvelachtig vindt. Maar ik vond het, zoals jij leek aan te nemen, niet 'interessant om te horen' dat Dahlberg perfect de roep van de luiaard kan imiteren. Dat is míjn neustrucje. Dat hij het kan met behulp van jouw navel is irrelevant en walgelijk. Sterker, ik kan persoonlijk niets weerzinwekkenders bedenken dan een mollige ijzerhandelbediende die op me zevert, behalve misschien dat mijn intieme correspondentie door zo'n type gelezen wordt. En, je hebt gelijk, ik kan me inderdaad niet voorstellen wat een lol je met hem kunt hebben.

Ik ben uiteraard teleurgesteld dat je alle kansen die ik voor je neus heen en weer heb laten bungelen hebt weggegooid om in een truck te gaan wonen.

Maar het is een nog grotere teleurstelling dat ik geen college ga geven aan Stanford.

Ik wens jullie allebei het beste.

Je voormalige redacteur,
Andrew Whittaker

ſ

Freewinder!

In je brief – of liever: in je brieven, aangezien de een na de ander binnen komt zeilen – vraag je of ik me 'er bewust van ben' dat ik verschillende hypotheektermijnen niet heb betaald. Wees gerust, het bewustzijn daarvan is als een brandend licht in mijn hoofd. Maar ook al geef ik dat bewustzijn toe, dat, zoals ik al zei, als een licht brandt wat, als je hier bij me binnen zou zijn, echt een afgrijselijke duisternis is, wil ik ook graag dat jij je er 'bewust' van wordt dat ik in de toekomst verwacht nog meer termijnen te missen, misschien zelfs een hele lading, zoals ze dat noemen. Wat nog meer licht oplevert! Dat komt omdat ik tot aan mijn nek in de shit zit. Ik kan je echter verzekeren dat het licht dat in mijn hoofd brandt, daar trots brandt, fel zal branden zelfs als ik en mijn hoofd en alles wat daarin brandt uit zicht zullen zinken.

Hoogachtend,
Andrew Whittaker

ſ

kaas in plakjes
broodjes
mondwater
toiletpapier
blikjes
kalkoennekken
varkenswangen
kippenruggen
wat nog meer?
koffie
bakvet
een ander leven

⁊

Lieve Jolie,

Eerst waren het mieren, en nu weer muizen of zelfs ratten. Ik
weet het niet precies. Ik hoor ze lopen in de muren. Ze maken
krabbelende geluiden, of kauwgeluiden, dus het kan allebei. Ik
neem aan dat ratten harder zouden klinken, maar omdat ze
allemaal in de muren zitten, valt onmogelijk vast te stellen hoe
hard het geluid eigenlijk is. Is dat een muis van dichtbij, of is
het een rat van veraf? Dat is een vraag die, denk ik, bij bijna
alles gesteld kan worden.

Feit is dat ik dit niet meer wil doen. Overal om me heen zijn er
dingen in verval, of komen ze in opstand. Kon ik maar mezelf uit
lopen zoals je een huis uit loopt. Vaarwel, oude vriend. Vaarwel
oud broodrooster, oude bank, oude stapel tijdschriften. Op het
stoepje gaan staan, het frisse briesje door de straat voelen waai-
en, door me heen voelen waaien. Eindelijk zal de samengeklon-
terde rotzooi verdwijnen die me er ooit bijna solide uit deed zien.

Andy

⁊

Het zand is dieper geworden. Het is poederig als talkpoeder. Ze zakken er tot hun enkels in weg; het vult hun schoenen terwijl ze lopen. De mannen en jongens hebben sokken van zwarte zijde aan, en het zand is onder de boorden gedrongen. Eerst sijpelde er maar een beetje in, maar de opening boven aan de boorden werd geleidelijk wijder toen de sokken afzakten, waardoor er bij elke stap meer zand naar binnen kwam. Nu hangen de sokken in olifantachtige bulten om hun enkels, en ze lopen struikelschuifelend als geketende mannen. Zelfs de meest optimistische onder hen weten dat als die drijvende dingen in de rivier krokodillen zijn, ze niet zullen kunnen ontsnappen. De vrouwen hebben hun schoenen uitgetrokken. Onder hun lange, donkere jurken met queues en blouses met ruches, wiebelen ze met hun tenen, en ze denken terug aan hoe ze blootsvoets door Deauville liepen. En ze herinneren zich hoe anders het zand daar aanvoelde, hoe ruw en koel, hoewel er daar in het water haaien zaten, verborgen, in geduldige kringen zwemmend onder de golven. De mensen, de mannen en de vrouwen, zelfs de luidruchtigste, praten niet meer. Het is iedereen duidelijk dat ruziemaken zinloos is, en dat het moment, als het er al ooit geweest is, om zich één te voelen, nu verstreken is. De zon staat op zijn hoogste punt, schitterend, verblindend, ondraaglijk. De mannen hebben hun donkere jassen uitgetrokken, ze aan hun voeten in het zand laten vallen. Nu doen ze ook hun overhemden uit en wikkelen die om hun hoofd. De vrouwen hebben hun blouses opengeknoopt. Ze slaan de zijkanten van hun blouses open en dicht, wapperen hun blote borsten koelte toe. De enige schaduw wordt geworpen door de parasols die de vrouwen maar een paar centimeter boven hun hoofd houden. De kinderen, die wanhopig zijn, misschien al stervende, zijn onder de rokken van de vrouwen gekropen. Daar, in het mysterieuze donker, als de duisternis in de kerken thuis, knielen ze in het zand, en de blote benen van de vrouwen, die oprijzen in die vreemde duisternis daarboven, zijn als de pilaren van kathedralen. De mannen willen de vrouwen dicht tegen zich aan trekken, wegkruipen in de schaduw van hun parasols, maar durven dat niet. Zelfs nu durven ze dat niet. En als het eindelijk donker wordt, en het hele bewustzijn zich richt op een enkel zintuig, worden ze zich bewust van het geluid van de rivier achter hen, het zachte, vloeibare gefluister van het water tegen de oever. Ze draaien zich als één man om, en gaan op het geluid af. Het zand reikt tot boven hun knieën. Ze ploegen erdoorheen als reizigers die door hoge sneeuw ploeteren.

§

Lieve Vikki,

Het is allemaal voorbij. Bijgesloten vind je de brief die ik naar iedereen verstuur. Ik had dit jaren geleden al moeten doen. Dat hou ik mezelf voor, maar het helpt niet. Ik voel me leeg, uitgehold. Ik kijk in mijn binnenste en het is alsof ik in een drooggevallen waterput staar. Ik roep erin: 'Is daar iemand?' Je kunt je voorstellen welk antwoord ik krijg. Ik heb nog een hoop te doen.

Veel liefs,
Andy

§

Beste inzender,

We sturen uw bijdrage hierbij ongelezen terug. We hadden hem waarschijnlijk met plezier gelezen, maar worden daarvan weerhouden door de gedachte dat u hem ongetwijfeld liever eerder dan later terug zult willen hebben, zodat u hem elders in kunt sturen, mocht dat uw voornemen zijn. Want, helaas, *Soap* is niet meer. De krachten der conformiteit hebben samengespannen om het voedingsstoffen te onthouden tot het stierf. Het tijdschrift laat een redacteur na, Andrew Whittaker, die volgens ooggetuigen afgelopen vrijdagmiddag uit het wrak kroop en verscheidene uren later zwaaide vanuit een bus.

Hoogachtend,
Walter Fudge
Executeur-testamentair

❡

Lieve Jolie,

De laatste paar dagen, sinds ik de Royalschrijfmachine, dat grote grijze ding dat we van papa hebben gekregen, uit het slaapkamerraam heb gegooid, blijven er mensen aan de overkant van de straat staan wijzen. De politie kwam met drie patrouillewagens, en ik heb tegen ze gezegd dat ik op de vensterbank zat te typen en hij naar buiten viel. Er komt geen Soap Festival. Ik heb geen idee waarom ik ooit heb gedacht dat dat een interessante onderneming zou zijn. Nu ik erover nadenk, weet ik niet eens zeker of ik je er ooit over heb verteld. Heeft nu weinig zin meer.

Andy

❡

Beste Stewart,

Die enquête heb ik wel degelijk ontvangen en ik heb hem ook ingevuld, maar nooit op de post gedaan, en nu ben ik hem kwijt. De binnenzak van mijn jasje is gescheurd, en soms vergeet ik dat, en de dingen die ik er dan in stop verdwijnen voorgoed, tenzij ik hoor dat ze de grond raken, wat in het geval van jouw enquête zeker niet is gebeurd. Aangezien het maar één velletje was, zal het, waar het ook neerkwam, niet veel geluid hebben gemaakt, en ik heb de laatste tijd veel op gras gelopen. Voorts is het inmiddels oktober, en een vallende enquête zou concurrentie hebben van het geluid van vallende bladeren dat zo passend als geritsel wordt omschreven.

Maar het is waarschijnlijk maar goed dat ik hem kwijt ben geraakt, aangezien ik ondertussen ben gaan twijfelen aan sommige van mijn antwoorden. Ik schaamde me hoe dan ook voor de conditie waarin het velletje zich bevond, dat aan zijn kreukelige oppervlakte leek te getuigen van het feit dat het ooit tot een stevige prop was gedrukt. Ik wil dat je weet dat dat er een prop van maken, als dat gebeurd is, geen verband houdt met mijn gevoelens tegenover jou en Jolie of wat jij allemaal hebt gezegd over dat ongelukje met die vaas, maar het gevolg is van hoe mijn zenuwen er dezer dagen aan toe zijn en de frustratie die sommige van je vragen blootlegden. Huwelijkse staat, bijvoorbeeld. Daar moest ik maar naar gokken. En ook de vraag: 'Beschouw je jezelf als onschuldig?' Dat is een vraag die, om er maar twee te noemen, Kafka en Dostojevski, altijd in het duister liet tasten, om van Kierkegaard nog maar te zwijgen, en dan wil je dat ik 'ja' of 'nee' aankruis? Over die vraag heb ik uren zitten piekeren voor ik stuitte op wat me destijds een bevredigende oplossing leek. Maar nu ik erop terugkijk, denk ik dat allebei de hokjes aankruisen eerder verwarrend dan verhelderend was. En zelfs als ik met overtuiging voor een van beide had kunnen kiezen – of zelfs voor geen van beide – dan lag de hele vraag van de mate waarin nog net zo open als altijd. Ik denk meestal dat ik voor dertig procent onschuldig ben, maar daar bood je geen ruimte voor. De rechter zal me wel niet de gelegenheid geven het daarover te hebben. Tot slot, je verzoek om mezelf in vijfentwintig woorden of minder te beschrijven, heeft me voor raadsels gesteld, hoewel ik wel een begin heb gemaakt.

Andy

⸙

Wijsneus
Bijdehand
Een storm van kritiek
Een schim van zichzelf
Een blinde man in een blind huis
Een sprankelende lomperik

❡

Adam tilde een hoekje van de rolgordijnen op. Een streep middagzon snelde door de kamer en dwong Fern een slanke hand naar haar gezicht te brengen om haar ogen te beschermen tegen het plotselinge felle licht. Adam draaide zich om en leunde met een elleboog op een smal dressoir waarvan het fineer in lange, grove getande stroken los begon te komen. Hij hoefde de bovenste lade niet open te maken om te weten dat er een Gideonbijbel in zat, want deze hotelkamer, met zijn gele behang en ijzeren bed, was alle hotelkamers waarin hij ooit had geslapen. Terwijl hij daar zo geleund stond, keek hij naar Fern die uitgestrekt op het bed lag, in tweeën gesneden door de straal, half in het licht en half in de schaduw, een arm geheven alsof ze zijn blik af wilde weren, terwijl ze met de andere arm worstelde met iets in haar schoot, en ze was alle vrouwen met wie hij ooit had geslapen. En nu dacht hij terug aan de voorgaande avond, en aan haar tijdens die avond, en zijn mond, tot dan toe een vastberaden vouw, trok vrolijk aan beide hoeken. Fern zag dat en glimlachte flauwtjes, want slaapgebrek en alcohol hadden haar verdoofd achtergelaten. Somber grinnikend wendde hij zich van haar af, om voorzichtig door de kier van het rolgordijn te turen. Hij zag even niets, terwijl zijn bloeddoorlopen ogen zich aanpasten aan het felle licht. Vervolgens, toen het schouwspel aan de overkant langzaam scherp werd, stierf zijn gegrinnik weg als knikkers die gewurgd werden in zijn keel. Vanuit het bed zag Fern hoe zijn hele lichaam schokte, alsof hij bevangen raakte door een krampaanval. Dat verbaasde haar niets, aangezien zij ook misselijk was. Maar omdat ze aan het andere eind van de kamer lag, hoe klein die ook was, kon ze geen glimp opvangen van waar hij naar keek.

Dat was een laag, bakstenen gebouw dat op een pakhuis leek, met STINT BROS. TOWING in witte verf boven de ingang. De deuren stonden open en Adam zag de achterste helft van een takelwagen binnen staan. De ijzeren haak ervan hing aan de staalkabel als een omgekeerd vraagteken. Maar dat was niet de enige reden dat hij twee stappen achteruit was gestommeld. Naast het gebouw lag een stoffig lapje grond en daar was zijn oog gevallen op de vertrouwde overblijfselen van zijn voertuig, de overblijfselen van zijn vertrouwde voertuig, in verschillende nette stapeltjes: de bumpers op een plek bij elkaar, de portieren ergens anders, de kleinere onderdelen in aparte hoopjes. En daartussen lag de ooit krachtige motor op zijn zij in het stof, de draden en slangen wreed afgesneden, waarvan de verminkte stompjes nog uitstaken. Adam wist dat geen monteur ter wereld die onderdelen nog aan elkaar kon zetten, en hij vervloekte zichzelf dat hij zo lang in bed was blijven liggen, en hij vervloekte Fern ook, omdat ze hem tot twee keer toe terug had getrokken toen hij probeerde op te staan. Tientallen andere auto's, voornamelijk luxe modellen in verscheidene staten van ontmanteling, lagen verspreid tussen de plassen en ellendige plukjes onkruid die hier en daar uit de grond staken. Rondom dat geheel stond een hekwerk met drie rijen prikkeldraad erbovenop. Adam had dergelijke bedrijven al eerder gezien, aangezien hij inspecteur was geweest van een van de waarschijnlijk grootste verzekeringsmaatschappijen van Amerika, voor zijn leven de wending had genomen die hem naar deze plek had gevoerd, die zo dicht bij nergens was als een plek maar kon komen, en in de armen van deze vrouw, die nu op de rand van het bed zat en de dop van een wodkafles probeerde te krijgen. Adam liep naar haar toe. 'Die kant op,' zei hij, terwijl hij haar voordeed welke kant ze hem op moest draaien. 'Ik weet verdomme wel hoe 't moet,' mompelde ze prikkelbaar.

Adam haalde zijn schouders op en ging weer op wacht staan bij het raam. Zijn ogen deden pijn en de aanhoudende worstelende geluiden achter hem ergerden hem. En toen zag hij de hond. Die lag op een autostoel voor een stapel chromen bumpers, verborgen, als het ware, door verblindend geschitter, en hij leek te slapen. Adam had hem eerst abusievelijk aangezien voor een grote vuilniszak, waarvan er inderdaad veel verspreid over het terrein lagen, een van de slechtst opgeruimde plekken die hij ooit had gezien, maar nu zag hij dat het een dobermannpincher was. Het dier moet gevoeld hebben dat zijn blik op hem rustte, wat honden zelfs doen als ze slapen, want hij opende zijn ogen en staarde Adam aan, die het rolgordijn gauw liet vallen. Hij draaide zich weer om en keek de kamer in. Terwijl hij zijn elleboog nadenkend op het dressoir liet rusten, keek hij toe hoe Fern met haar tanden de dop van de fles probeerde te krijgen. Hij peinsde over haar uitgesmeerde lippenstift, de streken vuil op haar gezicht, de stukjes stro in haar haar, de gescheurde blouse met een bloemenprint en zweetvlekken bij de oksels. Toen dacht hij aan zijn vrouw Glenda in haar witte tennisrokje, die aan het eind van een verbeten wedstrijd over het net sprong, met haar shirt nog netjes ingestopt. Het duizelde hem.

Hij zakte, langs de muur glijdend, naar de grond, waar hij met zijn rug tegen het gele behang bleef zitten, zijn benen uitgestrekt en zijn tenen wijzend naar het plafond. Fern stommelde naar hem toe en ging op eenzelfde soort manier naast hem zitten. Van de straat onder het raam steeg het gebabbel en gebons van een doodgewoon klein stadje op, het opgewonden gekrijs van kinderen, vreugdevol en minder vreugdevol, vermengd met het gekeuvel van inwoners die elkaar tegenkwamen op straat, zoals ze elke dag even levenslustig deden. Vanuit de hotelkamer klonken ze als kippetjes. Ze deden Fern denken aan de boerderij en het meelijwekkende stel gallinacae dat daar met glazige ogen rondliep. Ze stelde zich voor hoe ze geërgerd naar stukjes grind, aluminiumfolie en filters van haar vaders Tareytons pikten, die overal achteloos waren neergesmeten, en ze zag ze rondwaggelen alsof ze beneveld waren. De piepkleine eieren, ongeveer zo groot als een walnoot, lagen in slordige patronen verspreid over het erf, en soms struikelden de kippen erover; ook daarvan maakte ze zichzelf een voorstelling. Denkend aan die kippen moest ze onwillekeurig aan haar vader denken, voor wie die kippen, hoewel ze ziek waren, onaantrekkelijke kale plekken hadden en feculent waren, niettemin gekoesterde aandenkens aan zijn overleden vrouw waren, die ze altijd riep door op het opstapje naar de keuken klokkende geluiden te maken. Ze herinnerde zich de laatste glimp die ze van de oude boer had opgevangen door de achterruit van de grote truck, weinig meer dan een donkere veeg in de enorme stofwolk die ze achter zich hadden opgeworpen. Zijn zielige vragen over de grasmaaier waren blijven hangen in haar herinnering.

Kwam het doordat hun lichamen hiervoor verscheidene uren in een gepassioneerde omhelzing verstrikt waren geweest, dat hun hersens zo verstrengeld en versmolten waren geraakt dat Adam ook aan die kippen dacht? Terwijl hij staarde naar het gele behang dat op datzelfde moment leek te pulseren? Voor het eerst sinds hij die gestalte van Glenda's slaapkamer naar het strand had zien lopen – een aanblik die hem had gebracht tot deze noodlottige reis naar het land van zijn voorvaderen – stond hij zichzelf toe zich een ander leven voor te stellen, een leven zonder de kwellende aanwezigheid van Glenda en Saul, als die verschijning inderdaad Saul was geweest, wat hij nooit zeker wist, of van Glenda en Saul en iemand anders, voor het geval het iemand anders was geweest, wat zeker mogelijk was, gezien het schemerige licht en de mogelijkheid, nee, zelfs de waarschijnlijkheid dat wat eruitzag als een sikje in werkelijkheid iets was wat uit de mond van de vertrekkende persoon hing, een stukje toast of een blaadje sla, want Adams komst had ongetwijfeld de maaltijd van de gelieffden verstoord, wat werd bevestigd door de half opgepeuzelde lamskarbonaadjes onder de tafel, die daar in duidelijke haast onder waren gegooid. Hij schudde heftig zijn hoofd in een poging zijn gedachten uit dit moeras te trekken, en zich een ander, beter leven voor te stellen, eentje waarin niet zoveel komma's voorkwamen. Zelfs nu hij daar lomp en onderuitgezakt zat, met zijn benen uitgestrekt voor hem, op de vloer van een morsige hotelkamer tegenover Stint Bros. Towing, waar hij binnenkort ongetwijfeld heen zou gaan, hoewel hij niet wist wat hij daar zou bereiken of welke gevolgen het zou hebben, fantaseerde hij over het idee van een leven dat hij met Fern zou delen op een kleine kippenboerderij. Hij klampte zich, als het ware, aan dat wanhopige beeld vast als aan een opgeblazen binnenband. Hij stelde zich zonlicht voor dat een bescheiden keuken in stroomde, en verse eieren bij het ontbijt.

Fern keek naar Adam en probeerde zijn hand in de hare te sluiten, maar hij trok hem terug alsof hij hem brandde. Hij stond zelfs op. 'Ik ga Dahlberg opzoeken,' zei hij met een verrassend vlakke stem, en hij liep naar de deur. Ferns wijd opengesperde ogen smeekten woordeloos, terwijl ze zich tegelijkertijd met zilt vocht vulden. Toen stootte ze iets uit, maar of het een klaagzang of een waarschuwing was, wist hij niet, want ze sprak mompelig en onduidelijk. Hij trok zijn broekspijp uit haar greep, die scheurde toen hij dat deed, keek nog een laatste keer naar haar opkijkende gezicht en wierp zich van de deur vandaan, wierp zich de deur uit.

Ondertussen zat Dahlberg Stint in een klein kantoortje achter in de garage met zijn voeten op een groot, houten bureau. Zijn grote broer Tiresome stond achter hem, met zijn enorme handen in zijn zij. Dahlberg at een sandwich. Hoewel het lunchtijd was, had Tiresome geen sandwich, want hij had de zijne in zijn ochtendpauze opgegeten, zoals hij ondanks zijn dagelijks uitgesproken voornemens dat niet te doen, dagelijks deed. Hij had die voornemens die ochtend nog luidkeels in zichzelf herhaald, terwijl hij het elastiek van zijn sandwich had verwijderd en het waspapier open had gevouwen. Dahlberg peuzelde langzaam, tilde af en toe het brood op om ertussen te turen, waardoor hij het bonte binnenwerk van salami, augurken, tomaat en mayonaise aan Tiresome's blik blootstelde.

Nu deed hij zijn sandwich voor de laatste keer dicht, maar hij ging niet verder met kauwen en slikte zelfs niet door wat hij in zijn mond had, want hij had boven de korstige rand van het brood de gestalte gezien van het silhouet van een man in de deuropening van de garage. Het was het silhouet van een man wiens gestalte hem merkwaardig bekend voorkwam.

Hij haalde zijn voeten van het bureau en liet de sandwich zakken tot die stevig op het vloeiblok lag. Het brood was wit met lange, zwarte vegen die Dahlbergs vingers hadden gemaakt, nagelgebeten uitsteeksels die hij nu opgewekt afveegde aan de voorkant van zijn overal, waarop de bontgekleurde ingewanden van sandwiches van voorbije dagen dik uitgesmeerd waren, want er waren geen servetten. Hij wierp Tiresome een vluchtige blik toe, een blik die duidelijk zei: Er staat een gestalte van een silhouet in de deuropening. Bereid je maar voor. Tiresome knikte met zwijgende instemming, want zo goed waren de oogparen van die twee op elkaar ingespeeld, en liet zijn eigen blik vervolgens snel vallen op de sandwich. Toen hij ernaar staarde, half opgegeten en eenzaam midden op het vloeiblok op het bureau, leek die te pulseren. Om te zorgen dat zijn arm niet te snel naar voren schoot om hem weg te grissen, voor hij zeker wist dat zijn broer er definitief klaar mee was, een overhaaste actie die hem op een hengst op zijn knokkels met een moersleutel kon komen te staan, stopte hij zijn enorme handen in de zakken van zijn overal, zakken die door de aanwezigheid van diverse andere voorwerpen werden beperkt, en die zijn handen dus stevig vasthielden toen hij ze er eenmaal tot aan zijn polsen in had gewurmd. Dahlberg stond op, als 'op' het woord is voor zo'n klein iemand. Zijn pezige nek kronkelde terwijl hij met moeite de laatste droge hap van de sandwich doorslikte.

Adam liep de garage door, al lopend zorgvuldig het verspreid liggende gereedschap en de vettige lappen vermijdend, en liep de deur van het kantoor binnen. Hij keek naar de twee mannen die achter het bureau stonden, en glimlachte bijna. Daar stonden ze: een reus met een slaphangende kaak, zijn dommige blik oscillerend tussen Adam en wat een beschimmeld stuk spons op het bureau leek en naast hem, zijn hoofd nauwelijks tot zijn borst reikend, de borst van zijn broer, stond een lelijk klein mannetje met kronkelige varkensoogjes, rotte tanden en een slechte huid.

'Ik kom mijn auto halen,' zei Adam.

'En welke auto is dat dan, meneer?' raspte Dahlberg. Zijn stem klonk als een vlieg die over schuurpapier loopt. Vervolgens ging hij weer in de stoel zitten, waar hij bij Adams binnenkomst uit 'op' was gesprongen, en pakte zijn sandwich weer op, alsof hij nonchalant verder wilde gaan met zijn lunch. Hij keek op naar zijn broer. 'Tiresome, weet jij iets van de auto van deze meneer?'

Tiresome knipperde duf met zijn ogen, terwijl Dahlberg de sandwich nonchalant naar zijn mond bracht, en nog steeds keek naar zijn broer. Adam nam het lage, aflopende voorhoofd in zich op, de smalle, opstaande neus en de sandwich die schuin naar beneden uit zijn mond stak. Herkenning trof hem als een vuistslag precies op het moment dat Tiresome's enorme rechtervuist, die hij stiekem uit zijn zak had gewurmd, hem, Adam, keihard in zijn gezicht sloeg, zoals die in de gezichten van talloze anderen had geslagen sinds hij, Tiresome, 'klein' was.

¶

Beste Harold,

Gisteren keek ik uit het raam en zag ik dat iemand met rode verf KLOOTZAK op mijn auto had geschilderd. En, door alles wat er hier gebeurd was, ben ik vergeten je te vertellen dat mijn moeder is overleden. Ik was ook van plan je te vertellen over een paar politieagenten die ik ben tegengekomen. Nu zullen die dingen allebei moeten wachten tot een volgende brief. De INWONERS VAN RAPID FALLS DIE ZICH KOSTELIJK VERMAKEN OP DE STATE FAIR die je op de foto op deze ansichtkaart ziet, ken ik niet. Ik ben ervan overtuigd dat hun geluk denkbeeldig is. Dat moet je over mij weten, vind ik.

Andy

ℊ

Beste Stewart,

Gegeven de staat van mijn zenuwen, zoals eerder genoemd, heb ik besloten dat het een goed idee zou zijn als jij probeerde dat hoorzittingsgedoe uit te stellen. Daar komt bij dat ik op het moment geen outfit heb. Ik kan al dagen niet meer slapen, de nachten van de dagen dan, en zelfs niet in de middagen, hoe leeg die ook voorbijkruipen, behalve soms op het gras van een paar van de fraaiere parken in de stad, in slaap gesust door het bladerige geruis waar ik het in mijn vorige brief over had. Maar in de meeste parken lukt dat niet, omdat de honden over me heen lopen. Ik heb de laatste tijd een heleboel brieven geschreven, en 's nachts lig ik wakker omdat ik aan ze denk, terugdenk aan de oude en frisse nieuwe verzin, en andere mensen om ze aan te schrijven. Soms hang ik ze met magneetjes aan de koelkast tot ik iemand heb bedacht om ze aan te sturen. Ik herzie oude brieven vaak in mijn hoofd, als ze herziening behoeven, of ik denk gewoon met een bevredigd gevoel aan ze als dat niet nodig is. Als ze bevredigend zijn, is het makkelijk om rustig in bed te liggen en, hoewel dat nog geen slapen is, is het in elk geval iets. Maar het komt regelmatig voor dat er, net als ik de sluimering in begin te glijden, een nieuw idee mijn hoofd binnen komt barsten, me pijlsnel te binnen schiet voor ik iets kan doen om het tegen te houden, en als het een goed idee is – en in die staat van geestelijke apathie lijken het in eerste instantie allemaal goede ideeën – begin ik me vervolgens zorgen te maken dat ik het, als ik het uit mijn hoofd zet, het als het ware onder mijn kussen stop om te gaan slapen, de volgende morgen zal zijn vergeten. Dus soms dwing ik mezelf op te staan. Volkomen

215

uitgeput sleur ik mezelf uit bed en naar het bureau om het op te schrijven. Het resultaat is natuurlijk dat ik, tegen de tijd dat ik het allemaal op heb geschreven, misschien een beetje heb opgepoetst aan de randjes of een kleine inconsistentie heb rechtgezet, klaarwakker ben en daar verder niets meer aan te doen valt. Met dat vooruitzicht kies ik soms voor een andere methode. In plaats van uit bed te springen en een potlood te pakken, blijf ik in bed liggen en herhaal mijn vondst eindeloos op zachte maar verstaanbare toon, in de hoop dat ik het me zo stevig in mijn hersens prent dat het er de volgende ochtend nog zal zitten. En soms is dat ook zo. Maar het is minstens zo vaak niet zo, en in dat geval blijf ik achter met het lege feit dat ik in de loop van de nacht iets belangrijks heb bedacht en dat ik het nu kwijt ben. De meeste ochtenden herinner ik me zelfs dat niet, en op een bepaalde manier is dat het allerergst, omdat ik dan het akelige vermoeden niet uit mijn hoofd kan zetten dat ik in de loop van de nacht echt een briljant idee heb uitgebroed dat vervolgens zo grondig is uitgewist terwijl ik sliep, dat me zelfs niet meer bijstaat dat dat is gebeurd. Dus lig ik urenlang in bed, verscheurd tussen het verlangen te slapen en een honger om mijn ideeën te behouden, ofwel door op te staan en ze op te schrijven ofwel door ze eindeloos in mezelf te herhalen. Die tegenstrijdige impulsen zijn even sterk zodat ik van de een naar de ander word geworpen, niet in staat me aan een ervan over te geven, en ik word uitgeput en prikkelbaar wakker, als je het wakker worden kunt noemen. Het meest tragische van alles is dat zelfs als ik erin slaag een idee uit mijn hoofd te leren, of op te schrijven, het bijna altijd waardeloos blijkt, zijn aura van genialiteit blijkt niets meer dan een truc van die halfdromende staat waarin zelfs de stomste en meest banale invallen de producten van een briljante geest lijken.

Je toegewijde cliënt,
Andy

¶

Lieve Vikki,

Het is nacht. In die nacht schuilt een andere nacht. Dit lege
huis. En het huis is niet alleen leeg, zelfs de leegte is leeg. Buiten op straat nadert een sirene, passeert, vervaagt, wordt een
insect, sterft. Nacht, leegte, maar geen stilte, o nee, geen stilte.
Te koud voor krekels maar niet voor honden. Ze blaffen in
estafette door de hele buurt, urenlang. Wie kan er nog slapen?
Wie wíl er nog slapen? Er doet een gerucht de ronde onder de
huurders dat ze, omdat ik gearresteerd ben, geen huur meer
hoeven te betalen. Gods enige excuus is, zoals Stendhal (ik
geloof dat het Stendhal was) schreef, dat hij niet bestaat. Als
niets anders helpt, kan ik altijd nog een hond dood gaan
schieten. De beruchte Andrew Whittaker, ter dood veroor-
deeld door een jury bestaande uit honden, zijn gelijken.
Schrijf me.

Andy

¶

Beste dokter Hawktiter,

Ik was weken geleden al van plan u een briefje te schrijven om
u ervoor te bedanken dat u het voor me opnam in de krant.
Op de een of andere manier is dat briefje nooit geschreven. En
nu schrijf ik om een andere reden, omdat u een medisch onderlegd iemand bent, en ik een vreemd geluid in mijn hoofd
heb ontwikkeld. Ik weet uiteraard niet of u zo'n soort medisch
onderlegd iemand bent. Als u een podoloog bent, staat u
waarschijnlijk met uw mond vol tanden. Ik moet waarschijnlijk bij een keel-, neus- en oorarts zijn, of een hersenspecialist.
Als u er daar eentje van kent, kunt u deze brief misschien aan
hem doorsturen. Ik hoop dat u die voorkeur niet verkeerd
opvat mocht u een ander specialisme hebben. Er zijn zoveel
interessante onderdelen, organen en aanhangsels, en kanalen

natuurlijk, dat het volgens mij een wonder is dat iemand überhaupt kan kiezen, en ik neem het u zeker niet kwalijk dat u de keuze hebt gemaakt die u hebt gemaakt. Ik had vroeger ergens een lek, maar dat lijkt vanzelf te zijn hersteld. Maar het is ook mogelijk dat het gewoon naar boven is verhuisd en nu verantwoordelijk is voor dat zoemende geluid, hoewel het hiervoor totaal niet op zoemen leek, waar het eerst zat. Dat is niet ondenkbaar als je nagaat hoe dezelfde gebeurtenis op verschillende plekken voor heel verschillende geluiden kan zorgen. Neem iets waar u, als podoloog, vertrouwd mee zult zijn: voetstappen in een leeg huis klinken totaal anders dan stappen door dezelfde voeten gemaakt, door de voeten van dezelfde persoon, op gras, bijvoorbeeld. In het eerste geval levert het een soort hol geklop op dat op de lange termijn behoorlijk deprimerend is, terwijl het tweede meer een prettig gefluister is. Het laatste geluid kan ik niet precies in woorden vatten, maar 'oepsy-whoosh' lijkt aardig in de buurt te komen. Het is vooral prettig in de herfst, als de gevallen bladeren hun ruisende duit in het zakje doen. Maar misschien ziet u het niet zo. Het is lastig om voeten los te zien van schoenen, en dat maakt het bijna onmogelijk de discussie op een ordelijke manier te voeren, aangezien de verschillende schoenstijlen en materialen, waarvan er honderden moeten zijn, zo niet duizenden, zullen zorgen voor vele uitzonderingen op elke regel die je maar kunt bedenken. Ik weet dat zoemen als term voor velerlei uitleg vatbaar is. Er zoemen zoveel dingen. Bijen, uiteraard, maar ook elektrische ventilatoren waar dingen in vastzitten.

Het zoemen waar ik het over heb, lijkt erg op het geluid dat een televisie maakte die ik ooit heb gehad als hij een tijdje aan had gestaan. Ik realiseer me dat u zich hier niets bij zult kunnen voorstellen, en het dus ook niet zal helpen bij het stellen van een diagnose, tenzij u natuurlijk toevallig een van de mannen bent die Jolie in die periode mee naar huis nam, en u ook tv met haar hebt gekeken, wat ze waarschijnlijk geen van allen ooit hebben gedaan. Maar volgens mij kan wat ik als gevolg van die gelijkenis heb ontdekt weleens nuttig zijn, namelijk dat ik dat geluid in mijn hoofd op dezelfde manier kon onderdrukken als waarop ik er bij die televisie van af kwam. Sterker nog, toen ik het eerste geluid ongeveer een maand geleden voor het eerst ervoer, dacht ik er meteen aan die boekentruc te gebruiken, en tot mijn verrassing werkte die perfect, in het begin althans. Maar in het geval van de tv was het maar een tijdelijke oplossing. De intervallen zonder gezoem werden korter en korter, en we moesten er met steeds grotere boeken op slaan. Tegen het eind moest, als ik naar mijn favoriete programma's wilde kijken, Jolie naast het toestel gaan zitten en er om de paar minuten met een woordenboek op rammen. Dat geram was, in combinatie met haar gemopper, natuurlijk bijna nog erger dan het gezoem, en uiteindelijk verving ik het toestel door een nieuw toestel.

Nu zal ik u over een vreemd toeval vertellen. Vorige week was ik bij de kruidenier. Ik stond te wroeten in de bak waar ze de beste blikken in leggen, toen ik werd aangeklampt door een grote vrouw die naast me stond te graven. 'Hallo daar,' zei ze, terwijl ze zich naar me omkeerde met wat ik dacht dat een blonde, wellustige blik was. Ik nam uiteraard aan dat ze avances maakte, wat vrouwen wel vaker bij me doen, nog steeds, maar toen stelde ze me voor aan de man die achter haar stond. 'Charlie,' zei ze, op mij wijzend. 'Dat is die gozer die ons onze tv heeft verkocht.' En toen wist ik wie ze was. De tv waar ze naar verwees was die zoemende RCA. Ik zette me schrap voor de onaangename dingen die Charlie zou uitslaan, maar in plaats daarvan zei hij: 'De beste tv die we ooit hebben gehad. Je kunt hem laten vallen, buiten in de regen laten staan. Dat ding is niet kapot te krijgen. Ik wilde dat ze zulke kleurentelevisies maakten.' U kunt zich mijn verbijstering voorstellen. Ik vroeg: 'Dus u hebt geen last van het gezoem?' 'Welk gezoem?' zei hij. Pas toen herinnerde ik me dat ik daar niets over had gezegd toen ik hem verkocht, en ik stamelde iets over het weer van de laatste tijd en dat mijn eigen toestel daarvan was gaan zoemen. Met mijn eigen toestel bedoelde ik natuurlijk mijn hoofd, hoewel ik dat uiteraard niet met hen wilde bespreken, bij de kruidenier, en in mijn geval had het weer er niets mee te maken.

Ik hoor dat geluid, zoals ik schreef, nu al een paar maanden. Ik geloof niet dat het aanzwelt. Ik controleer elke dag of dat gebeurt, omdat ik weet dat dat een slecht teken zou zijn. Ik ben natuurlijk niet zo dom dat ik denk dat je in de spiegel kunt kijken en dan kunt zien of je hoofd nog even groot is. Ik heb een hoed die van mijn vader is geweest, die me behoorlijk goed past, en die gebruik ik om het te controleren. Maar de laatste tijd ben ik me gaan afvragen of ik hem, door hem een paar keer per dag op en af te zetten, niet oprek. Dus er zou wel sprake kunnen zijn van een onopgemerkte zwelling. Ik heb een arts ooit mijn hoofd laten meten om te kijken of het wel de juiste afmetingen had, zo groot was als die van andere mensen van mijn lengte, met lichamen van mijn omvang, en hij gebruikte toen een enorme passer. Een hoed gebruiken zult u wel ongelooflijk amateuristisch vinden.

Ik schrijf u nu, omdat ik het gevoel heb dat de dingen een climax naderen. Twee avonden geleden liep ik in Seventh Street, op de terugweg van het park, toen ik voor Little Champion Sporting Goods stilstond om in de etalage te kijken. Er stonden alleen maar footballspullen, shirts, helmen en dat soort dingen, en ik had er totaal geen interesse in. Het geluid was sinds ik het park had verlaten steeds erger geworden, en ik vervloekte mezelf dat ik vergeten was een boek mee te nemen. Zelfs met een kleine paperback lukt het meestal, en ik had er altijd eentje in mijn heupzak, tot die was gescheurd. Aangezien ik geen boek had, probeerde ik het met mijn vlakke hand, zonder succes. Het verraste me hoe krachteloos die klap was. Ik denk dat het kwam door het zien van die footballspullen dat ik aan een kopstoot dacht. Ik had natuurlijk een paar meter verder moeten lopen, naar de betonnen muur die daar stond, maar ik was inmiddels behoorlijk wanhopig, en dus gaf ik, in de greep van die wanhoop, een kopstoot tegen het glas. Ik had niet het gevoel dat ik heel harde kopstoten gaf, het deed niet eens echt pijn, en toch kroop bij de derde of vierde stoot een zilveren streep vanuit de linkerbenedenhoek naar boven, langs mijn ogen en snel door naar de tegengestelde hoek. Onderweg maakte het een afgrijselijk, droog, scheurend geluid. Ik draaide me om en begon de straat uit te rennen. Ik had nog geen twee stappen gezet toen de hele ruit op het trottoir viel. Het was twee uur 's nachts, er waren maar een paar mensen op straat en in de stilte leek het geluid van het brekende glas oorverdovend.

Ik ben me ervan bewust dat het incident met het glas medisch gezien niet van belang is, maar ik noem het om te illustreren hoe zat ik dat geluid ben. Als ik mijn hoofd in mijn handen leg, zoals ik tegenwoordig vaak doe, voel ik hem zoemen. Misschien is de oorzaak wel iets simpels, iets onbenulligs zelfs, en kunt u me medicatie aanraden. Ik heb erover gedacht yoga te proberen, maar ik weet niet zeker of op mijn hoofd staan een goed idee zou zijn, zeker niet als ik bedenk dat er misschien een lek bij komt kijken. Als ik er alleen al aan denk, zie ik afschuwelijke beelden van spul dat er aan alle kanten uit loopt.

Uw gekwelde auteur,
Andrew Whittaker

¶

Lieve Jolie,

Gisteren was ik bij de opening van Stanleys expositie in de Downtown Gallery – een plek waar ongetwijfeld niemand verwacht zal hebben mij te zien – en zat ik ineens op een sofa naast Billy Kippers, met wie ik in geen jaren een beleefd woord heb gewisseld. Hij zat te babbelen met dat mens van Simms, die aan de andere kant naast hem zat. Bij alle herrie om ons heen kon ik weinig verstaan van wat ze tegen elkaar zeiden, maar ik merkte wel dat ze steelse blikken in mijn richting wierpen, dus ging ik van het ergste uit. Ik heb mezelf ervan weerhouden mijn tong uit te steken, omdat ik Stanley had beloofd dat ik me zou gedragen. Na een tijdje ging dat Simms-creatuur weg, en Billy draaide zich naar mij om. Met een hand op mijn schouder en zijn hoofd dicht naar me toe gebogen vroeg hij, bijna fluisterend: 'Hoe gaat het met je roman?' Ik was zo verrast dat ik eerst niet wist wat ik moest antwoorden. Ik verdacht hem van kwaadaardige bedoelingen. Maar toen ik hem in zijn gezicht keek, in dat porseleinbleke dinerbord van een gezicht met die blauwe, knipperloze blik, leek hij bezórgd. Ik stamelde iets in de trant van dat het liep als een dolle. Zijn vraag greep me zo aan dat ik even dacht dat ik heuse tranen zou gaan huilen. Ik vraag me af wat hij gedacht zou hebben als ik mijn hoofd op zijn schouder had gelegd en was gaan snikken.

Ik zeg de laatste tijd tegen mezelf: misschien is er wel iemand die het zal doen. Maar vervolgens vraag ik me af: is er wel iemand die het kan? Er valt iets uit de lucht. Het zou sneeuw kunnen zijn. Het zouden ook tranen kunnen zijn. Het zou de ketting van aaneengeregen dagen kunnen zijn. Stel je voor, de ketting van dagen die vallen als sneeuw! Hoe zou dat eruitzien? Het feit is dat er ergens iets is, zoals ik al herhaaldelijk tegen mezelf heb gezegd. Maar niet echt. Whittaker, wat doe je daarbinnen? Dat is wat ik eigenlijk al een hele tijd zeg. Ik heb het eindeloos herhaald, maar er heeft nog niemand antwoord gegeven. Dat komt omdat ik het fluisterde. In mijn oren klonk het als schreeuwen. Alles klinkt hierbinnen afgrijselijk hard, maar daarbuiten hoor je nog geen gefluister. Wat is er zachter dan gefluister? Te vreselijk om over na te denken.

Ik heb geen plannen. Ik kan me geen tijd heugen dat ik geen plannen had. Ik dwaal van kamer naar kamer en schop tegen dingen aan. Ik lig op de bank en stel me voor dat ik met een vacht bedekt ben. Voor me zie ik een leegte. Ik weet niet of het een open deur of een muur is. Ik weet niet hoe ik een uitweg moet vinden. Heb jij suggesties? Ik denk dat ik nu maar stop.

Andy

PS: Je zou in de envelop met je suggesties ook een paar dollar kunnen stoppen …

❡

Beste Willy,

Je hebt mijn voorgaande brieven niet beantwoord, maar zoals je ziet heb ik het nog niet opgegeven. Ik heb mezelf het grootste deel van mijn leven naar beneden laten halen door ideeën over waardigheid, ijdelheid eigenlijk, en een sterk verlangen om aardig gevonden te worden. Ik vermoed echter dat ik dat nu allemaal achter me heb gelaten, want hoe zou ik mezelf er anders toe kunnen zetten je weer te schrijven na de onverschilligheid en minachting die werd uitgedrukt door de afwezigheid van zelfs maar een ansichtkaart? Ik beschouw deze verandering in mijn levenshouding als een doorbraak. Een doorbraak en een zegen, dat is het. Ik kromp altijd ineen als ik me voorstelde dat je van een van mijn missiven opkeek en dan tegen iemand zei, misschien wel tegen een zaal vol vrouwelijke studenten: 'Moeten jullie eens horen, meisjes.' En vervolgens las je dan met een hoog, onnozel stemmetje hardop een paar sappige passages uit mijn brieven voor, terwijl die jonge meiden op hun lip beten om hun lachen te verbergen dat werd veroorzaakt door jouw afgrijselijke vertolking van mijn benarde situatie. Ik hoefde me de uiteindelijke uitbarsting van openlijk geschaterlach maar voor te stellen om te voelen hoe een opvlieger van schaamte zich over mijn nek en gezicht verspreidde. Ik schrijf om je te laten weten dat dat nu niet meer uitmaakt: ik heb mijn ziel uitgepakt en er zit niets in.

En, over uitpakken gesproken, ik weet niet of ik je al over mijn dozen heb geschreven. Vorige maand heb ik bijna alles wat ik bezat dat je in de verste verte persoonlijk zou kunnen noemen in kartonnen dozen gestopt. Daar ben ik erg druk mee geweest. Ik begon met een paar dingen die ik op dat moment niet nodig had, en voerde het tempo geleidelijk op. Uiteindelijk had ik alles ingepakt, op de meubels en apparaten na, die te groot waren, en schone kleren. Bij elke doos waarvan ik de flappen dichtvouwde en met tape dichtplakte, voelde ik een heel klein schokje van geluk. Het was weinig meer dan een scheutje, maar als ik een reeks dozen had gedaan voelde ik me soms helemaal duizelig en moest ik gaan liggen, wat me tot de conclusie bracht dat die schokjes, hoe klein ze ook waren, ergens worden opgeslagen om misschien ergens in de toekomst naar buiten te barsten. Er waren algauw een heleboel dozen, en het werd steeds lastiger me in de woonkamer te bewegen, waar ik de meeste ervan had opgestapeld. Sterker nog, op een gegeven moment moest ik kiezen of ik door de voordeur, naar de trap of de keuken in wilde. Ik was veel te veel tijd kwijt aan het verplaatsen van dozen, hoewel ik er in het begin van genoot te experimenteren met verschillende opstellingen. Ik vond het ook een tijdlang leuk torens te bouwen die zo hoog waren en zo vervaarlijk schommelden dat ik ze alleen al door op steeds grotere afstanden in het huis op en neer te springen om kon laten vallen. Uiteindelijk helemaal vanuit de keuken. Maar toen dat me begon te vervelen, wat algauw gebeurde, begon ik ze de deur uit te doen. Het rare is dat ik, toen ik die dozen begon in te pakken, alleen maar van plan was een paar dingen op te ruimen, te zorgen dat ze niet meer voor mijn voeten lagen, zogezegd. Het was nog niet in mijn hoofd opgekomen dat ik ze helemaal en definitief de deur uit kon doen. En toch is dat nu mijn allesoverheersende doel. Omdat ik vreesde dat een groot aantal dozen tegelijkertijd weggooien op bezwaren van de vuilnisophalers zou stuiten, zeker omdat de meerderheid ervan vol boeken zaten en erg zwaar waren, moest ik het hele project geleidelijk, in zekere zin heimelijk, uitvoeren, in een tempo van acht of negen dozen per week. Op donderdag wordt het vuil opgehaald. Ik zie het als gezegende vuilophaaldagen. 's Morgens vroeg stapelde ik zoveel dozen op de stoep als ik durfde. Vervolgens ging ik achter een raam boven zitten en wachtte op de vuilniswagen. Op elke doos zat een label, waarop de inhoud minutieus stond opgesomd, zodat ik precies wist welke dingen er op het punt stonden ingeladen te worden. Elke dag was er een kleine, opwindende gebeurtenis – zelfs voor altijd afscheid nemen van zoiets onbeduidends als een paar sokken was al iets –, maar het grootste geluksmoment kwam op de dag dat al mijn geschriften, alles wat ik had geschreven tot het moment dat ik een paar maanden geleden begonnen was met inpakken, het ritje maakten. Notitieboekjes, manuscripten, grote en kleine krabbels. Zeven dozen vol. In de overige vier dozen die die ochtend de deur uit gingen had ik in alle zorgvuldigheid alleen de minst interessante spullen gelegd, om het bijzondere genot van die dag niet te vertroebelen. De ophalers waren het gebruikelijke stelletje grootgehandschoende ex-bajesklanten. Toen ze de dozen in de wagen smeten, viel ik bijna flauw van vreugde. Ik zag hoe de hydraulische vermorzelaars zich erboven sloten. De vuilniswagen piepte terwijl ze werden vermengd met het prozaïscher vuil, afval en de restjes van andere mensen tot een meerkleurige brij. Ik vond het jammer dat ik onmogelijk naar binnen kon om te kijken.

Nadat ik er getuige van ben geweest hoe mijn bezittingen en verrichtingen op die manier waren ingeladen, bedacht ik dat ik hun voorbeeld misschien wel moest volgen. Ik zal mezelf natuurlijk niet letterlijk in een compressiemachine kunnen stoppen. Al zou ik wel gewoon een ritje kunnen maken. Maar ik heb mijn twijfels over mijn auto. Het lijkt me een onbetrouwbaar apparaat. Hij stopt zonder aanwijsbare redenen, vaak midden op een kruising, en weigert dan verder te rijden. En vervolgens, als ik net heb besloten uit te stappen en het voertuig achter me (dat dan inmiddels is gaan toeteren) te vragen me een duwtje te geven, al met een voet op het asfalt sta, schiet hij ineens vooruit, waardoor ik gedwongen ben gauw weer naar binnen te kruipen of anders zittend op de weg achter te blijven. Vroeger geneerde ik me daarvoor, maar sinds mijn doorbraak zwaai ik opgewekt terwijl ik wegspuit.

Aan de andere kant, de auto start ook in de kou altijd, zonder mankeren, en het lijkt waarschijnlijk dat hij wel een tijdje blijft rijden als ik hem op de snelweg eenmaal een beetje op gang heb gekregen, en een tijdje is ruimschoots lang genoeg om er te komen. Om waar te komen? vraag je, zeer terecht. Het hele punt moet tenslotte zijn dat je ergens aankomt, want waarom zou je anders vertrekken? En dat is eigenlijk de vraag die ik mezelf de hele tijd stel. Waarom zou ik überhaupt vertrekken? Ik kan net zo goed blijven waar ik ben, op mijn bankstel of in mijn ligstoel als ik daar zin in heb, of op het gras in het park. Alleen al door daaraan te denken ga ik me afvragen of ik mijn vertrek niet een maandje of wat moet uitstellen, om in het park in de sneeuw te kunnen gaan liggen. Boven me zullen de sterren ijzige speldenprikjes in de uitgestrekte zwartheid van de winterlucht zijn. De takken van de eikenbomen zullen nog zwarter zijn. Het idee van een nog langere reis zal, daar in de sneeuw, natuurlijk in me opkomen, maar ik zal mezelf niet in verleiding brengen. Ik ken mezelf goed genoeg om aan te nemen dat ik niet zo lang buiten zal blijven, niet lang genoeg om echt te vertrekken. Nee, ik stel me voor dat ik net lang genoeg blijf liggen om een stevige kou te vatten. De enige beloning voor mijn inspanningen zal zijn dat ik tien dagen lang met een druipende neus en doorweekte Kleenex rondloop. Ik weet echter ook dat het alleen maar de enorme aantrekkingskracht van avontuur is die me ertoe verleidt me voor te stellen dat ik zo ver zal kunnen komen. In feite zal het me waarschijnlijk zelfs niet lukken de deur uit te komen. Ik zal hem opendoen, er zal een koude windvlaag naar binnen komen, en dat zal al genoeg zijn. Ik zal rillen en denken: 'Nu even niet.'

Maar het idee laat me niet los, en een paar minuten later sta ik weer bij de deur. Nu al mijn spullen eindelijk weg zijn, is het een kwestie van tijd. Want weet je, ik heb hier niets meer te doen. Ik vertrek omdat ik me verveel, omdat ik bang ben, omdat ik bedroefd ben. Maar eigenlijk vooral omdat ik mijn eigen grappen niet grappig meer vind. Nu ik erop terugkijk vraag ik me af of ze ooit grappig zijn geweest, of dat het alleen maar zo leek omdat ik lachte.

Je trouwe correspondent,
Andrew Whittaker